Frei Elias Vella, OFM Conv

Cura do Mal e Libertação do Maligno

Frei Elias Vella, OFM Conv

Cura do Mal e Libertação do Maligno

Editora Canção Nova

Palavra & Prece

Título do original em italiano: Guarigione dal Male e Liberazione dal Maligno

ISBN: **85-88005-65-4**

Palavra & Prece Editora Ltda.
Parque Domingos Luís, 631 – Jardim São Paulo
São Paulo, SP – CEP 02043-080
tel.: (11) 6978.7253 – fax: (11) 6283.4548
comercial@palavraeprece.com.br
www.palavraeprece.com.br

Editora Canção Nova
Av. Angélica, 2530 – 17º andar – Cj. 171 – Consolação
CEP 01228-200 - São Paulo, SP
tel./fax: (11) 3257-7070
editorasp@cancaonova.com
www.cancaonova.com

Editora Canção Nova

PALAVRA & PRECE

Coordenação editorial
Júlio César S. Porfírio

Revisão
Arlete Mano

Capa
LuaC Designer

Tradução
Silvia Pivetta

Sumário

Prefácio

Deus se mostra de modo especial para aqueles que de verdade O procuram e que desejam com todo o seu ser achar nEle um refúgio seguro e a cura definitiva, afastando-se da morte física, moral, psíquica e espiritual.

Se um desejo desse tipo está em nós e de verdade queremos voltar o nosso coração na direção do Senhor que nos convocou à vida, que conhece também o número de fios de cabelo de nossa cabeça e escreveu nosso nome na palma da Sua mão antes que a criação existisse, este livro é um meio eficaz para encontrar o Senhor e usufruir de Sua gratuita benevolência, para possuir a saúde perfeita seguindo com alegria o nosso Salvador, o Senhor Jesus Cristo, na presença do poder incomparável do Espírito Santo (sendo Deus, presente em cada lugar, nenhum canto da criação sendo subtraída ao Seu domínio) que muitas vezes, para o nosso bem, com sapiência, desfaz os nossos projetos para substituí-los por aqueles da Divina Providência.

Assim, as maravilhas do Amor, quando menos esperamos, se manifestam no contexto humano perdido, desiludido, doente e acorrentado pela atividade contínua e mentirosa do maligno que se esconde na nossa cegueira, como nos será explicado nesta ampla e envolvente catequese que visa sanar as dúvidas e nos preparar para receber em abundância o amor do Pai. Uma série de ensinamentos iluminados, de revelações e de interpretações da mensagem de Deus que nascem como um presente sem devolução para tornar-se novamente um presente. Aquele a quem a leitura agregará a vontade da reflexão não poderá deixar de reconhecer e ver em cada página um abraço do Abba que sofre juntamente com os filhos que estão sofrendo, e que consola intervindo nas suas aflições com contínuas suturas de amor.

Aqui estão algumas razões para estudar com atenção esta obra-prima de padre Elias, um irmão maior prodigiosamente transformado pelo Onipotente, com uma nova efusão de amor ("Quem não nascer de novo não poderá ver o Reino de Deus" *João* 3.3), o qual, pela compaixão do Pai nos confrontos de cada homem, de cada tempo e lugar, por suas inspiradas pesquisas espirituais, é agora indicado a nos oferecer o remédio para todas as doenças.

Uma experiência extraordinária de vida vivida na "Renovação Carismática Católica", que de forma surpreendente quebra a segurança de um sacerdote (que após pouco tempo "renascera como adulto") há muito tempo inserido no rol de pastor de almas e de amável divulgador da Palavra. O encontro com o Senhor Jesus foi capaz de mexer na sua existência e no seu sólido sacerdócio, de repente posto de forma misericordiosa em discussão. No final das contas temos o "velho" e brilhante padre Elias, estimado por seu rebanho pela simples razão que o seu rebanho não estava preparado a "renascer do alto" (e cada rebanho vai aonde o seu pastor o guia).

Aqui está uma das razões sobre a qual temos que meditar e um bom motivo para apresentar esta significativa experiência a tantos irmãos ignaros e a todos os padres que ainda não renasceram do Espírito. Os humildes, os pobres de espírito, das benevolências, os autênticos aspirantes à santidade e à glória de Deus, antes ou depois, nos agradeceram de todo coração porque, com um simples gesto de afeto, ajudamos na salvação deles.

Falando da introspecção e da explicação da Palavra deste revigorante evangelizador, deve ser enfim adicionado o fascínio da sua incisiva virtude analítica carismática que flui em contato com a essência das Sagradas Escrituras, e da sua excepcional capacidade de dedução.

Seguir o padre Elias nas progressivas descobertas das maravilhas de Deus, até através das reflexões, das rezas e dos testemunhos, propostos para acordar o leitor dos torpores do mundo e para nos incitar a retomar a caminhada intensificando o passo, pode suscitar um aumento da fé ou induzi-lo à descoberta maravilhosa da fé (isto depende de Deus e da livre abertura de cada um para com Ele). De qualquer forma, penso que agradeceremos com toda a força do nosso pobre coração finalmente revigorado.

Que Deus o abençoe, juntamente com todos os outros "irmãos maiores" da Santa Madre Igreja, e que o Espírito de Jesus se coloque a guiar a nossa caminhada como lúmen na noite.

GIUSEPPE BAGLIVI

Introdução

Para iniciarmos ao tema deste livro, quero propor ao leitor um parágrafo do livro do Profeta *Isaías*, capítulo 57 versículos 14-15;18-19, que diz:

> "(Será dito:) *Abri, abri a estrada, aplanai-a! Retirai do caminho de meu povo todo obstáculo! Porque eis o que diz o Altíssimo, cuja morada é eterna e o nome santo: Habitando como Santo uma elevada morada, auxilio todavia o homem atormentado e humilhado; venho reanimar os humildes, e levantar os ânimos abatidos.*
>
> *Vi sua conduta, disse o Senhor, e o curarei. Vou guiá-lo e consolá-lo, vou fazer assomar aos lábios dos aflitos a ação de graças. Paz, paz àquele que está longe e àquele que está perto".*

Neste parágrafo das Sagradas Escrituras senti-me chamado a refletir sobre a promessa contida no versículo 18. Disse o Senhor, "Eu o curarei". Deus não falou somente ao povo de Israel, mas fala ainda ao homem de hoje e precisamente para que cada um de nós preste atenção a Sua mensagem. Esta promessa, hoje, é para cada um de nós. É importante ter consciência que a Palavra de Deus, que em qualquer modo ou instante nos chegue, é sempre endereçada a nós pessoalmente. A mensagem de Deus é para mim! Até alguns anos atrás, quando tinha a ocasião de participar de algum retiro, estava convencido que tudo o que era falado não servia para mim pessoalmente, mas, ao contrário, era para as pessoas com as quais teria que falar futuramente. Quando escutava, cuidava de imaginar em qual ocasião poderia usar as noções teóricas que recebia. Efetivamente participava dos retiros com o intuito de aprender coisas novas para poder oferecer aos outros, esquecendo que Deus tinha me convidado para falar diretamente ao meu coração. Deus quer me curar! É importante este desejo de Deus durante todo o percurso do nosso caminho espiritual, porque todos, uns mais outros menos, precisamos ser curados e o primeiro passo da cura é saber que se está doente e que, portanto, precisamos de cura e conversão. Isto vale para os leigos, mas também para nós sacerdotes e religiosos porque não estamos isentos de doenças, sejam físicas ou espirituais.

A minha experiência

Antes de aprofundar o tema específico deste livro, desejo relatar a minha experiência pessoal quando o Senhor, após meus quinze anos de sacerdócio, chamou-me para iniciar uma nova caminhada.

Lembro que, durante os primeiros contatos que tive com a Renovação Carismática, convidei o Padre Robert Faricy, sacerdote jesuíta, para vir até Malta. Entre as muitas coisas que falava, chamou-me a atenção sua afirmação de que as pessoas mais difíceis de serem convertidas são os padres e, acrescentou, em particular os Jesuítas! Com a distância de vários anos, posso dizer com convicção que essa afirmação corresponde à realidade. De fato pude constatar, por experiências pessoais, que nós, sacerdotes, chegamos a um ponto da nossa vida no qual achamos ter atingido o ápice do saber e, dessa forma, ao ponto de chegada da nossa caminhada.

Em 1978, tal convicção tinha invadido também a minha vida, mas o Senhor teve misericórdia de mim e me manteve a salvo.

Foi organizado em Dublin, na Irlanda, um grande retiro mundial da Renovação Carismática. Um grupo de jovens amigos insistiu para que os acompanhasse. Eu, para ser sincero, acreditava pouco na Renovação, pela excessiva emoção a qual várias vezes pude assistir, durante algumas reuniões de prece. Na época ensinava Teologia e não tinha nenhuma intenção de mudar minha cômoda rotina diária. Era também Ministro provincial de uma província religiosa de Malta. Coordenava retiro em todo lugar, tinha programas televisivos, escrevia livros, portanto achava-me plenamente realizado e não sentia a necessidade de nada mais. Estava, como se costuma dizer, "posicionado".

Nos meus programas, não tinha espaço para acidente de percurso, no entanto, a insistência desses jovens convenceu-me a abrir uma exceção para as minhas normas. Já tinham comprado a passagem de avião, sendo dessa forma obrigado a aceitar o convite justificando-me com a desculpa que, de qualquer modo, nada tinha a perder oferecendo esse sacrifício.

Partimos todos juntos. No retiro éramos cerca de oitocentos entre padres e religiosos e duas mil freiras. O retiro era dividido em diversas áreas segundo a categoria (leigos, sacerdotes, freiras).

Fomos divididos em pequenos grupos. Fiquei em um em que o moderador era um irlandês, o qual para começar postulou uma questão muito simples: "Por que vocês vieram aqui?" Minha resposta estava bem clara na mente: "Eu ensino Teologia e quero conhecer em que consistem essas novas experiências eclesiásticas, mas somente como informação, para ter mais material para oferecer aos outros...". Como sempre, não passou por mim o pensamento de que também poderia estar ali para "aprender" alguma coisa. Quem foi questionado antes de mim, a meu ver, deu respostas muito esquisitas.

Um padre idoso disse: "Eu estou aqui para encontrar o Senhor". Eu não podia entender tal resposta. Como pode um sacerdote, no final da sua vida, pedir para encontrar o Senhor?! O que tinha feito durante todos os anos, no exercício do seu sacerdócio? A sua afirmação foi para mim incompreensível. Mas as respostas chocantes não haviam terminado; em seguida, outro afirmou: "Estou aqui para pedir ao Senhor a minha conversão". Esta chegou a me escandalizar. Como pode um sacerdote que celebra a Missa todos os dias pedir a sua conversão?

Quando chegou a minha vez, com muita desenvoltura afirmei: "Sou um teólogo e estou aqui para aprender alguma coisa a mais para oferecer para os meus alunos." Lembro que o padre irlandês que coordenava o grupo, sem meio-termos, disse-me: "Padre, ajoelhe-se! Você necessita de prece!" Isso me transtornou. Fiquei chocado a ponto de não entender nada: de joelhos, na frente daqueles padres, os quais se reuniam ao meu redor para rezar visando minha conversão. Não sei o que aconteceu, mas lembro que comecei a chorar muito, sentindo que alguma coisa se desbloqueava no meu coração.

Mais tarde, retornei para os meus amigos que tinham participado de um grupo para leigos. No momento do encontro me acharam transtornado e me perguntaram se havia acontecido alguma coisa. No começo procurei tergiversar e tentei convencê-los que nada de estranho tinha acontecido, mas, em seguida, pelas insistências, embaraçado, confessei. Após ouvirem minhas palavras, confessaram-me que fazia algum tempo que rezavam para minha conversão.

A partir desse dia a minha vida mudou de verdade. Fazia as mesmas coisas de antes, mas de forma diferente. Agora era o Espírito Santo que conduzia a minha vida dando nova cor a todas as coisas.

O Espírito Santo precisa que abramos o nosso coração para Ele poder agir em nós e através de nós. Somos chamados a colaborar com Deus na construção do Reino dos Céus, mas podemos responder ao Seu convite e possibilitar o Seu projeto somente se nos reconhecermos como pecadores e entendermos de fato que necessitamos continuamente que Ele nos dê a cura, a conversão, a transformação. Devemos chegar a ser perfeitos "testemunhos", mais que operadores pastorais.

O Santo Padre Paulo VI, em *Evangelii Nuntiandi*, escreve: "O mundo não mais necessita de teólogos e, se necessita de teólogos, necessita deles como testemunhos." Infelizmente hoje vemos que o testemunho é separado da espiritualidade e da teologia. Na Patrística achamos, na mesma pessoa, tanto o teólogo quanto o místico: Basílio, Gregório Nazianzeno, Agostinho, Crisóstomo... Com o passar do tempo, ao contrário, veio a se formar uma clara separação entre o místico e o teólogo.

Quando se estuda Teologia Dogmática não se dá valor algum às experiências místicas porque não ajudam a provar os postulados. Transcorreram quarenta anos do Concílio, necessitamos não somente atualizar, mas reformar a nossa Teologia. Praticamente estamos ainda no começo dessa reforma teológica. Que sacerdote, durante o curso de Teologia, tocou os carismas? Para nós, teólogos, estas são coisas que pertencem à mística e não à dogmática. Tentamos, sim, ver algumas coisas do Espírito Santo, mas somente sob o aspecto intelectual e não com experiência pessoal. Fomos convencidos que o Espírito Santo não é uma pessoa para se fazer experiência, mas uma pessoa para se estudar. Dessa forma, nos limitamos a apresentar o Espírito Santo por meio do estudo teológico. Na realidade, somos como quem discute sobre o sol, fechados em um refúgio subterrâneo. Refutamos crer nas palavras de quem vê o sol cada dia e goza constantemente do seu calor. O que o místico experimenta e o contemplativo vive cada, dia na Teologia não tem valor algum.

Diante de tudo isso, convenci-me da necessidade de fazer experiência direta dessa realidade. Cada um deve, antes de tudo, ser uma testemunha, mas uma testemunha do que ele mesmo, em primeira pessoa, vive; não de coisas que aprendeu ou ouviu dizer.

E isto é muito mais importante para nós sacerdotes, porque o padre é o pastor que deve caminhar com o povo de Deus.

Ele é poderoso, visto estar em condição de convencer o povo de Deus sobre os mistérios dos céus, mas deve caminhar ao seu lado. O Concílio Vaticano II convidando os presbíteros a caminhar com o povo de Deus os ajuda doando, como companheira da viagem, a Virgem Maria (cf. *LG*). É juntamente com Ela que nós, sacerdotes, mais todos nós, batizados, somos chamados a caminhar no sentido da conversão e da cura total. Quando curados, podemos falar com Jesus:

> *Minha mãe e meus irmãos são estes, que ouvem a Palavra de Deus e a observam* (*Lucas* 8:21).

Frei Elias Vella, O.F.M. Conv.
7 de outubro, 2004
Festa da B.V. do Santo Rosário de Pompei

Capítulo I

O Encontro

"Senhor, a quem iríamos nós?" (João 6:68)

1. O ENCONTRO COM JESUS

O nosso encontro com o Senhor é um encontro sempre novo. De uma vez por todas, ninguém pode falar: "Eu encontrei Jesus". Porque o encontro com Ele se renova a cada dia, por meio de novas experiências. O nosso convívio com Jesus é um convívio nupcial e como tal deve renovar-se a cada dia. Um casal, para viver feliz, deve impor-se renovar a cada dia o próprio amor: o marido deve encontrar a esposa de uma forma sempre nova, criando situações e experiências que possam estimular o interesse recíproco e isso não requer sacrifício porque o amor é infinito e criativo.

Para clarear este conceito, costumo apresentar o encontro com Jesus sob quatro dimensões. Tal classificação não corresponde a uma regra para a caminhada espiritual, mas serve somente para explicitar a idéia. Deus é imprevisível e, portanto, não é possível ser submetido aos nossos esquemas mentais. Ele age com cada um de forma pessoal e original.

Geralmente o encontro com Jesus respeita a ordem relatada a seguir.

Encontro com Jesus que Cura

A primeira dimensão do encontro é aquela com **Jesus que Cura**. É importante evitar o erro de pensar que quando encontramos **Jesus que Cura** chegamos até o cume da experiência. Na realidade estamos somente no início da nossa caminhada! Estamos no primeiro degrau da escada!

O Cristo que Cura é o enviado do Pai em nosso meio para restaurar tudo; mas antes, Ele veio para restaurar a nossa pessoa. Na prática, nesse encontro, Jesus tenta transformar o homem velho, que está em nós, em um homem completamente renovado.

Em nós, de fato, existe um homem velho, doente, apavorado, cheio de raiva e rancores, cheio de tensões e pavor, de ambições, de ciúmes, de desejo de poder. Paulo diz:

> *"Nem vos enganeis uns aos outros. Vós vos despistes do homem velho com os seus vícios e vos revestistes do novo, que se vai restaurando constantemente à imagem daquele que o criou, até atingir o perfeito conhecimento."* (*Colossenses* 3:9-10)

É o encontro do homem que grita: "Me ajudem". É o grito do homem que olha mais para si mesmo do que para a pessoa de Jesus, mas é o nosso primeiro encontro.

Jesus, quando via muitas pessoas que O seguiam, não as mandava embora, sabendo que os motivos de O seguirem não eram desinteressados, límpidos, nobres... Neles tinha tanto egoísmo, porque o que os incitava a segui-lO era a necessidade da Sua ajuda! Mas também Ele sabendo deixava fazer. Geralmente este é o primeiro motivo que nos incita a conhecer melhor Jesus. Muitas vezes o que determina o nosso encontro com o Senhor começa desta forma: uma experiência boa ou ruim de nossa vida que nos faz encontrar o Cristo que nos estende a mão. Esse encontro não é o cume, mas, ao contrário, é o começo da experiência do Senhor.

Encontro com Jesus Mestre

A segunda dimensão do encontro com Jesus é aquela com **Jesus Mestre**. Após tê-lO encontrado e ter experimentado a

Sua misericórdia, vamos até Ele não mais para pedir, mas ao contrário para dar: "O que tenho que fazer, Mestre?"

A este propósito lembramos do encontro de Jesus com Nicodemos, o qual o chama precisamente de "Mestre". De fato o diálogo de Jesus com Nicodemos coloca-se nesta dimensão: "Tu és mestre em Israel", que quer dizer "Eu vim para me falarem o que eu tenho de fazer para aprender. Neste grau de encontro entramos na dimensão bíblica; começo, de fato, a escutar Jesus e a considerar a Escritura como guia da minha vida.

> *"Senhor, a quem iríamos nós? Tu tens palavras de vida eterna."* (*João* 6:68)

Para quem nós iremos?

> *"Minha mãe e meus irmãos são estes, que ouvem a Palavra de Deus e a observam."* (*Lucas* 8:21)

Esta é a dimensão de quem tem sede de saber o que Deus quer. Não mais se pergunta "o que me ajuda", mas "o que Deus quer". É claro que estamos em um nível mais alto. Estamos na frente do homem que está procurando a verdade:

> *"Eu sou o caminho, a verdade e a vida; ninguém vem ao Pai senão por mim."* (*João* 14:6)

Também esta dimensão não é o cume do encontro com Jesus.

Encontro com Jesus Amigo

A terceira forma de encontrar Jesus é aquela com o **Jesus Amigo**.

Aqui a sede do homem é a prece, a intimidade com Ele. Sente-se uma grande necessidade de entrar em intimidade com Deus. Em *Lucas* 6 vimos Jesus nos dar um testemunho perfeito desse encontro, quando entra em intimidade com o Pai.

"Naqueles dias, Jesus retirou-se a uma montanha para rezar, e passou aí toda a noite orando a Deus. Ao amanhecer, chamou os seus discípulos e escolheu doze dentre eles que chamou de apóstolos." (*Lucas* 6:12-13)

O evangelista fala que passou uma noite inteira a rezar, antes de escolher os apóstolos.

Nos evangelhos sinóticos (Mateus, Marcos e Lucas), achamos muitos detalhes desse tipo de encontro. Jesus freqüentemente acha lugares solitários para ficar a sós com o Pai. Ele sai à noite para rezar, ou de manhã cedo. Em muitas circunstâncias vem evidenciada a necessidade de Jesus de rezar porque Ele tinha a necessidade desta comunicação com o Pai. Mais que uma prece para pedir ("dê para mim"), a Sua era um período de intimidade e união com Deus.

Encontro com Jesus Senhor

A quarta dimensão é o encontro com Jesus Senhor. Neste encontro nos sentimos totalmente dEle, portanto, entregamos tudo que somos e possuímos, inclusive nossos carismas. Isto significa dizer: "Pega o que queres da minha vida, Senhor! Não sou eu que devo projetar, planejar o que tenho para fazer, é Tu que deves falar por mim".

Neste ponto Jesus é o Senhor dos meus sucessos e dos meus insucessos. Muitas vezes falamos com facilidade expressões do tipo: "Senhor, seja feita a Tua vontade. Senhor, derrete-me, molda-me etc.", sem nem entender o verdadeiro significado desta oração. Falar *derrete-me* é como dizer: "me transforma em uma vela que é derretida pela chama e perde a sua forma para assumir a forma que desejas".

O encontro com Jesus Senhor é o encontro mais comprometedor e mais difícil de superar. São poucos os que conseguem chegar a essa dimensão e permanecer nela. Jesus diz:

"Nem todo aquele que me diz: Senhor, Senhor, entrará no Reino dos céus..." (*Mateus* 7:21)

Falar "Senhor" significa submeter-se a Seu Senhorio... Subir esse degrau significa projetar-se no mundo da mística e chegar à contemplação verdadeira.

2. A TENTAÇÃO DE PARAR NO OÁSIS

Conforme dito anteriormente, entendemos que o encontro com Jesus que cura não é a chegada, mas somente o começo da nossa caminhada. Isto, em todo caso, não deve de forma nenhuma tirar a nossa coragem porque o que interessa é que estamos na caminhada. Geralmente, durante o percurso, chegamos no deserto que, como explicam os místicos (ler sobre Santa Teresa d´Avila, São João da Cruz etc.), é uma etapa essencial para uma real maturação espiritual. O maior risco que corremos é aquele de chegar a um oásis e de parar de forma definitiva. O que é um oásis?

Um oásis é uma área no deserto onde a terra produz vegetação, tem água, palmas, árvores, etc. Em suma existe tudo que serve para sobreviver.

Moisés, encarregado por Deus de conduzir o povo de Israel do Egito para a Terra Prometida, durante a viagem, que teve a duração de quarenta anos, encontrou diversos oásis, por exemplo, Jericó. Em tais ocasiões, Deus sugerira a Moisés a que pare para o povo poder descansar.

Descansar no oásis é muito prazeroso! Mas após o descanso chegava a nova ordem: "Enrolar as tendas e recomeçar a caminhada" e o povo de Israel, a esta ordem, muitas vezes se rebelou. Hoje na nossa vida acontece a mesma coisa. Queremos ficar para sempre no oásis. Os Israelitas pensavam: "O Egito já está longe; por que enfrentar todo este afã para chegar na Terra Prometida? Aqui estamos bem! Porque sair novamente e recomeçar a caminhada que com certeza trará novas provações? Ficamos aqui, temos o necessário para vivermos tranqüilos!".

Muitas vezes nós, cristãos, fazemos o mesmo discurso e escolhemos viver para sempre no oásis. O calculo é simples: "Tento evitar os pecados graves, se caio, corro imediatamente a me confessar; tento participar da Missa cada domingo; e confesso com freqüência e me esforço por fazer o bem. Isto é suficiente para me salvar! Por que recomeçar a caminhada?". E desta forma ficamos parados para sempre. Atenção! Para evitar este perigo é bom que a alma, que decide começar uma caminhada séria, escolha um guia espiritual que possa ajudá-la a distinguir um oásis da chegada e o ajude durante a longa e fatigosa viagem espiritual. Mas às vezes até o guia espiritual pode ser enganado pelo inimigo, chegando a ser um verdadeiro perigo para as almas a ele confiadas. A tal propósito, São João da Cruz quando nos fala dos inimigos da alma fala também do guia espiritual. Ele, de fato, sustenta que a alma tem três inimigos: o mundo, a carne e o diabo. A este elenco junta o guia espiritual explicando que às vezes este último se transforma em inimigo da alma sem perceber.

Ele dedica somente poucas linhas para os primeiros inimigos da alma e algumas páginas para o guia espiritual. São João sustenta que o guia espiritual é perigoso porque, muitas vezes, não está na caminhada enquanto as almas estão, e muitas vezes acabam ultrapassando o próprio sem que ele o perceba. Não conhecendo a estrada que a alma está percorrendo, o guia se apavora e em função disso em vez de dar coragem ele a freia ou, pior ainda, a induz a recuar. Muitas almas não avançam por causa da falta de experiência do seu guia. Se ele nunca viveu experiências místicas, se não fez experiência do Cristo vivo e sofrido, não pode dirigir outros por essas vias. Esse guia quando encontra uma alma que está pronta para superar os limites humanos avalia tal atitude como uma imprudência. Não é fácil entender o que não se conhece. Aprendi essa verdade com minha experiência pessoal.

Certa vez, um casal procurou-me dizendo ter recebido um chamado bastante original: o Senhor tinha feito que eles entenderem que deviam abandonar tudo para somente evangelizar, vivendo da providência. Tentei convencê-los a não fazê-lo porque a meu ver era uma grave imprudência. Graças a Deus não fui escutado e fizeram o que sentiam no coração. Atualmente, são dois evangelizadores incansáveis que fundaram escolas de evangelização no mundo todo.

Isso prova quanto podemos ser deletérios quando não estamos abertos para o Espírito Santo.

3. A CURA

Quando abordo o tema cura, amo lembrar, entre os milagres feitos por Jesus, aquele da mulher afeita à hemorragia que se curou tocando o manto de Jesus. Acho muito interessante uma particular expressão reportada por Marcos no capítulo 5 do seu Evangelho:

> *"Ora, havia ali uma mulher que já por doze anos padecia de um fluxo de sangue. Sofrera muito nas mãos de vários médicos, gastando tudo o que possuía, sem achar nenhum alívio; pelo contrário, piorava cada vez mais. Tendo ela ouvido falar de Jesus, veio por detrás, entre a multidão, e tocou-lhe no manto. Dizia ela consigo: Se tocar, ainda que seja na orla do seu manto, estarei curada. Ora, no mesmo instante se lhe estancou a fonte de sangue, e ela teve a sensação de estar curada. Jesus percebeu imedia-*

tamente que saíra dele uma força e, voltando-se para o povo, perguntou: Quem tocou minhas vestes?" (*Marcos* 5:25-30).

Marcos escreve que "saíra uma força dEle". Uma força que tocou somente aquela mulher, e não a todo mundo! De fato, perto de Jesus estavam outras pessoas, com certeza, necessitadas e certamente até mais próximas de Jesus do que podia chegar aquela mulher hemorrágica. Isso é verdadeiro porque os apóstolos falaram: "Mas, Senhor, Tu perguntas: Quem tocou minhas vestes, quando tem tanta gente perto que toca e Te empurra para qualquer lado! Mas Jesus insiste: "Alguém tocou Minha veste, uma força saiu de Mim". E foi exatamente esta força que curou a mulher afeita à hemorragia.

A mesma força de Jesus é operante até os nossos dias. De fato Jesus é vivo, eterno e infinito, é o mesmo Jesus que 2.000 anos atrás curava qualquer tipo de doença.

Esta força, saída de Jesus, é ainda viva. Esta força não se exauriu através dos tempos: a Sua Palavra é sempre atual e eficaz. A Sua Palavra não se transformou simplesmente em uma história porque está viva e verdadeira nos séculos e para sempre. Aquela palavra que dirigiu à filha de Jairo para ressuscitá-la (*Lucas* 8:54) *"Talita Kum"*: Menina, levanta-te! é ainda atual; não se perdeu através do tempo. Toda esta força que saiu de Jesus é uma força de redenção para hoje e para o fim dos tempos!

Quando, para um homem que é possuído pelo demônio, falamos: "Sai, satanás!", o que estamos fazendo? Estamos religando o fio com a Palavra que Jesus disse para todos que Ele livrou: esta força livra até hoje. Esta força cura hoje, e estas palavras ainda curam! Esta eu chamo de Cristoterapia: vou explicá-la um pouco mais à frente e veremos como podemos usá-la para nós e para os outros.

Quero sublinhar precisamente isso: Jesus em tudo que Ele falou, em tudo que Ele fez, é ainda vivo! Nós não pedimos para Jesus somente uma cura, mas pedimos para continuar a ser curados, e para ser curados hoje, mediante tudo que Ele fez, porque para o Senhor não existem os "tempos". Quando Ele fala da fé diz: "Se tiverdes fé, como um grão de mostarda, direis a esta montanha: Transporta-te daqui para lá, e ela irá" (*Mateus* 17:20). Um mínimo de fé, certamente, porque não é a minha fé que me salva, sozinha, mas é aquela força que sai dEle a me salvar. Em particular nós, sacerdotes, devemos ter a coragem de deixar que Jesus nos use como instrumentos, de modo que essa força possa passar através de nós para os outros.

Quando o Senhor nos escolheu, chamando-nos pelo Batismo para ser seus discípulos, nos escolheu primeiramente para ser Santos de forma que, por nossa intimidade com Ele e por nosso testemunho, Ele possa curar muitos outros.

Temos recebido uma grande força do Senhor e não sabemos usá-la ou não acreditamos suficientemente e, dessa forma, não a usamos!

Através das páginas deste livro e com a ajuda do Senhor, queremos entender qual é a nossa missão, como batizados, crismados, casados ou consagrados: antes de tudo, a escolha de santificarmos para depois poder ajudar os outros.

Oração:

Neste momento, Senhor, queremos abrir o nosso coração para Ti. Quando Tu nos escolheste, Senhor, Tu não podias errar, porque Tu conheces o futuro de cada um de nós, porque Tu já sabias dos nossos erros, conhecia os nossos pecados e os nossos limites, e mesmo assim nos escolheu! Não podes dizer que Tu erraste na escolha porque já sabias de tudo. Senhor, nós Te pedimos, porque nos escolhestes. Ajude-nos a compreender, antes de tudo, que necessitamos de Ti como nosso Salvador: que necessitamos de Ti para sermos curados, para sermos perdoados, para a nossa conversão. Em seguida nós Te pedimos: usa-nos, usa-nos como Tu quiseres. Sabemos que somos simples instrumentos e nos pomos em Tuas mãos para sermos usados para o bem dos outros. Senhor, enche-nos do Teu Espírito para que através desse Espírito sejamos transformados em instrumentos nas Tuas mãos.

Queremos também pedir que Maria, nossa Mãe, esteja entre nós durante a leitura destas páginas, para nos guiar e conduzir ao seu e nosso Jesus. Amém!

Capítulo II

Sofrimento Humano e Sofrimento para Redenção

"Se alguém quiser vir comigo, renuncie-se a si mesmo, tome sua cruz e siga-me." (Mateus 16:24)

1. O PROBLEMA DO SOFRIMENTO

Queremos meditar sobre a cura que o Senhor nos quer oferecer sem nenhuma pretensão de resolver o problema do sofrimento que ninguém resolveu, e não seremos nós a resolvê-lo, certamente porque continua sempre o *"Misteryum iniquitatis"*, o mistério do mal conectado ao mistério do sofrimento.

É um problema que pode ser posto na dimensão de "mistério" e ponto. Todavia, a *Bíblia* nos oferece indicações preciosas para podê-lo enfrentar.

Começo com uma imagem, uma história muito simples, que mesmo parecendo infantil pode ser uma introdução à análise desse grande problema do sofrimento.

A imagem que quero apresentar é a história dos cincos violões que estão em um quarto. Em um certo momento, nesse quarto, entra um homem que afina instrumentos, e pega os violões um após o outro para afiná-los. O primeiro violão que ele pega o maltrata; no sentido que não tem delicadeza em pegar o violão, no tesar suas cordas, na tentativa de afiná-lo. E o violão grita porque sente dor, experimenta o sofrimento e, certamente no momento em que o homem o afina, o violão olha para ele como a um homem mau. Um dos outros violões sente medo e se esconde atrás de uma cadeira. O homem pega o segundo, o terceiro, o quarto e os afina, com muito sofrimento para os instrumentos musicais. Mas, através daquele sofrimento, sai finalmente a harmonia, saem instrumentos bem afinados que os músicos podem usar livremente e com grande facilidade. Assim, o violão escondido atrás da cadeira não sentiu o sofrimento dos outros porque o homem, por erro, deixou-o no seu lugar. Conseqüentemente, quando os músicos chegaram os músicos, pegaram um violão cada um, achando-os bem afinados; a não ser o último que, pegando um violão desafinado, não poderá usá-lo.

Quatro violões, de fato, são usados como instrumentos dos quais os músicos podem gerar um maravilhoso concerto, enquanto o violão não afinado, que se vê descartado, começa a lamentar-se: "Eu sou defeituoso... sem sorte! Ninguém me quer, Ninguém me ama!", em outras palavras chega à auto-rejeição. Porque agora é esquecido em um canto.

Bem, eu vejo o sofrimento nessa perspectiva. Certamente a história é muito infantil, mas nos ajuda a entender, nos faz entrar em contato com o problema do sofrimento, situações em que, muitas vezes, Deus pega o homem e, por meio do sofrimento, matura-o, prepara-o para alguma coisa boa.

É muito importante tê-lo na nossa mente. O sofrimento, a doença, não possuem função em si mesma, mas podem ser uma via pela qual o Senhor quer nos capacitar a realizar o Seu projeto. Mas avançamos paulatinamente para poder refletir sobre este problema.

Antes de tudo temos de lembrar que Jesus veio para vencer o sofrimento, para superar o sofrimento: Ele não veio para sofrer. Jesus não queria sofrer e o fez entender muito claramente quando, no *Getsêmani*, falando com o Pai, diz:

"Pai, se é de teu agrado, afasta de mim este cálice!" (*Lucas* 22:42)

Não é uma oração que Jesus direciona ao Pai quase em um momento de confusão, como se não soubesse o que estava falando: nos momentos de serenidade Jesus sabia exatamente qual era o projeto do Pai e dizia:

"Presentemente, a minha alma está perturbada. Mas que direi?... Pai, salva-me desta hora!... Não hei de beber eu o cálice que o Pai me deu?" (*João* 12:27;18:11)

Mas chegou a hora.

"Eu vim para esta hora. Começou a ter pavor e a angustiar-se." (*Marcos* 14:33)

Antes, ao invés, tinha falado, conforme lembramos quando Jesus se altera com Pedro quando ele Lhe diz:

"Que Deus não permita isto, Senhor! Isto não te acontecerá!" (*Mateus* 16:22)

Falando com Pedro e vendo nele satanás que o tenta naquele momento exclama:

"Afasta-te, Satanás! Tu és para mim um escândalo." (*Mateus* 16:23)

Jesus veio ao mundo para essa "hora"; mas, chegado o momento, tem medo dela. De fato diz a Escritura:

"...começou a ter pavor e a angustiar-se." (*Marcos* 14:33)

Chegado a uma grande intimidade com o Pai, Ele disse:

"Pai meu, se é possível, afasta de mim este cálice." (*Marcos* 14:36)

De fato, é evidente que Jesus não vai para a Cruz como se nada fosse. Jesus pede para o Pai tirá-la dEle. E este deve ser ensinamento também para nós, sacerdotes, ou leigos, que operamos no ministério da cura, nós que muitas vezes encontramos pessoas que perguntam: "Podemos pedir ao Senhor tirar a Cruz?" A resposta é muito clara: "Sim! Porque Jesus o fez!". Certamente Jesus teve a coragem de falar:

"Não a minha, mas a Tua vontade seja feita".

E este deve ser sempre o pano de fundo de cada oração de cura: "Não a minha, mas a Tua vontade seja feita". Com certeza! Mas o pedir para o Pai tirar a Cruz é uma atitude bíblica. De fato Jesus mesmo se põe a nossa frente como modelo de como deve ser enfrentado o sofrimento.

Quando encontramos o sofrimento, muitas vezes a dúvida que temos de enfrentar é esta: "Deus não pode me livrar, desta forma não é Deus, ou Deus não quer me livrar; desta forma Deus não é amor!".

Toda a dificuldade que temos acerca do sofrimento, todas as dificuldades das pessoas que vêm pedir a cura está nisto: ou Deus não é Deus se não tem o poder de tirar o sofrimento, ou não é amor. Porque qual pai que vê o filho sofrer o deixa no sofrimento?

Este problema já foi enfrentado no Antigo Testamento, especialmente no livro de *Jó*. Nesse livro encontramos que o problema é enfrentado, em um primeiro momento, de forma filosófica, por três amigos de Jó: Elifaz, Bildad e Zofar.

Essas três pessoas, Elifaz no capítulo 4 do livro, Bildad no capítulo 8 e Zofar no capítulo 11, tentam resolver o problema da má sorte e do sofrimento do amigo Jó, pondo como causa o seu pecado, quase pondo Jó em crise. Eles falam: "Deus castiga quem pecou; se existe o sofrimento quer dizer que Deus está, de certa forma, vingando-se" (Pode ser entendido pois estamos no Antigo Testamento, de fato essas palavras muitas vezes as achamos direcionadas para "quem ofendeu a Deus").

Por outro lado Jó se defende, especialmente no capítulo 31, e se revolta com Deus dizendo:

> *"A infelicidade não está reservada ao injusto, e o infortúnio, ao iníquo? Não conhece Deus os meus caminhos, e não conta todos os meus passos? Se caminhei com a mentira, se meu pé correu atrás da fraude, que Deus me pese em justas balanças e reconhecerá minha integridade."* (*Jó* 31:3-6)

Desta forma o problema fica sem solução. Porque, enquanto esses três amigos sustentam que toda a má sorte vem em função de pecado, Jó se considera inocente.

Em 23 de novembro de 2000 foi difundido, por parte da Congregação para a Doutrina da fé, pelo documento *"Instruções para as orações para obter de Deus a cura"*, assinada pelo Cardeal Ratzinger, hoje nosso amado Papa Bento XVI. Na sua primeira parte, que trata exatamente do problema do sofrimento, o Documento evidencia como uma mentalidade própria do Antigo Testamento considerar o sofrimento como uma punição que Deus envia a quem pecou. No Evangelho, ao contrário, Jesus cura o cego nato, e os discípulos perguntaram:

> *"Mestre, quem pecou, este homem ou seus pais, para que nascesse cego? Jesus respondeu: Nem este pecou nem seus pais, mas é necessário que nele se manifestem as obras de Deus."* (*João* 9:2-3)

No Novo Testamento, de fato, começamos a ver o problema sob uma outra dimensão. Diz o documento: "A doença agride também os justos e o homem se pergunta o porquê". Em seguida afirma: "O sofrimento tem caráter de prova".

Temos que fazer esta distinção muito importante: o demônio tenta; Deus não tenta; Deus prova, nos põe à prova! Em outras palavras, o demônio tenta para nos fazer cair, tanto quanto Deus nos põe à prova para nos maturar, de modo que possamos ficar mais fortes para executar um projeto que tem para nós. É interessante que o Documento fale muito claramente: "A doença, todavia, continua sendo um mal". Devemos desta forma manter isto na nossa mente.

Neste momento, entramos um pouco no mérito do problema do sofrimento para conseguir, não digo entendê-lo, mas pelo menos ver como enfrentá-lo. Nunca temos de olhar para Deus como se Ele fosse um agressor, alguém que envia o sofrimento sobre nós. O que Deus nos pede é somente o abandonar-se como sofredor em Suas mãos. E está aqui todo o segredo para olhar o sofrimento como sofrimento para a nossa redenção.

2. TIPOS DE SOFRIMENTO

• *Do pecado*

Devemos ser muito claros: a maioria das doenças, dos sofrimentos que temos, não são sofrimentos redentores, por isso Deus nos quer libertar. Trata-se de doenças, ou, melhor, de sofrimentos que freqüentemente são resultado do pecado: se, por exemplo, eu não quero perdoar, então o não perdoar causa em mim um sofrimento; muitas vezes causando também ressentimento em termos físicos.

O não querer perdoar traz um sofrimento, porque não me deixa dormir, deixa-me tenso, entre outras coisas; em outras ocasiões provoca distúrbios psicossomáticos. Pois bem, esses sofrimentos não são redentores! Este sofrimento que se agrava em mim é resultado da minha desobediência. Ou, como outro exemplo, quando o sofrimento que carrego é proveniente da minha ambição, uma ambição pelo poder, ou de apego ao dinheiro etc.

Portanto, existem outros sofrimentos que não provêm de Deus. São as cruzes por nós construídas! Esta não é uma cruz que Jesus pode me dizer: "Tome a sua cruz e me siga." (*Lucas* 9:23)

Mas esses são casos que Jesus me diz: "Jogue fora essa cruz! Jogue fora! Não venha atrás de mim com a cruz que foi a causa da sua ambição. Você não pode me seguir com aquela cruz! Aquela cruz deve ser jogada fora!"

• ***Do pecado dos outros***

Outras cruzes vêm do pecado dos outros, como a fome e a carência de milhões de homens que não têm o que comer, nem onde morar. Este caso nada tem que ver com a Cruz redentora. Entende-se que quem passa por este sofrimento pode transformá-lo em um sofrimento redentor, mas o Senhor quer que todos nós colaboremos para poder eliminá-lo. É a avareza do homem, a maldade do homem que está criando essas cruzes.

• ***Dos limites humanos***

Existem cruzes, portanto, que praticamente vêm dos nossos limites: sendo limitados adoecemos; então existe este tipo de sofrimento humano. Quem caminha se cansa, é normal; quem caminha também deve sofrer. Portanto, são tantos os sofrimentos pelos quais o Senhor praticamente nos diz: "Venham até mim... e eu vos lhes darei novas forças." (*Mateus* 11:28)

O Senhor espera que nos dirijamos a Ele, para nos curar.

3. SOFRIMENTOS QUE REDIMEM

Existem sofrimentos que levam, isto sim, à redenção. Para exemplificar, vamos aos casos mais clamorosos: as chagas de Padre Pio. Trata-se de um sofrimento, um sofrimento tremendo, para o qual Jesus não quis dar nunca mais a cura! Este sofrimento, Ele mesmo enviou para um projeto de graças, não para o sofrimento em si mesmo, porque o sofrimento em si não tem um intuito. De fato no *Apocalipse* está escrito:

> *"Enxugará toda lágrima de seus olhos."* (*Apocalipse* 21:4)

Às vezes o Senhor não escuta nossas orações para nos livrar do sofrimento, porque quer que nos unamos a Ele, "nos unimos aos Seus sofrimentos" como escreve São Paulo.

Temos um texto muito bonito do livro *Instruções para obter de Deus a cura* que diz:

> *"A vitória messiânica sobre a doença como sobre outro sofrimento humano não acontece somente por meio da sua eliminação com cura portentosa, mas também pelo sofrimento voluntário, inocente, de Cristo, na sua paixão e permitindo a cada homem se associar a esta".*

Queremos evidenciar que a vitória de Cristo sobre os sofrimentos acontece não somente pelas curas que Jesus operou e opera até hoje, mas também mediante a aceitação por parte de Jesus, mesmo no sofrimento, permitindo a nós todos nos associar a este sofrimento. Mas tem mais: Na Cruz de Cristo, não somente se cumpre a redenção pelo sofrimento, mas também o sofrimento humano é redimido, operando a redenção por intermédio do sofrimento.

De fato, cada homem no seu sofrimento pode ser partícipe do sofrimento da redenção de Cristo.

Como podemos ver, é muito bonito como vem apresentado o sofrimento de redenção no Documento do Cardeal Ratzinger!

Tendo clareado os vários aspectos do sofrimento, descobrimos que a sua solução não está necessariamente na sua eliminação, mas no contemplar o Cristo sofrido. Muitas vezes não existem respostas para os nossos porquês e é inútil tentar achar essas respostas. Também quando as pessoas vêm a nós perguntado o porquê das suas doenças é desnecessário oferecer uma resposta. Antes de tudo porque quando uma pessoa está sofrendo, seja leigo, seja padre, que seja Jesus mesmo no *Getsêmani*, nenhuma resposta a este porquê tem valor. Quando Jesus grita na Cruz:

"Eli, Eli, lammá sabactâni?, o que quer dizer: Meu Deus, meu Deus, por que me abandonaste?" (*Mateus* 27:46), Ele põe o seu "por quê?", mas a resposta do Pai é o silêncio.

O Pai não responde porque nenhuma resposta tem valor neste momento, nada tem valor quando estamos emotivamente descontrolados, desequilibrados, e todas as nossas emoções se misturam. Assim nem o Pai responde ao Filho que lhe pergunta o porquê. Mas olhe como Jesus enfrenta o sofrimento logo após:

> *"Pai, nas tuas mãos entrego o meu espírito."* (*Lucas* 23:46)

Esta é a verdadeira resposta, ou, melhor, a forma como devemos enfrentar o sofrimento: Não perguntando de forma filosófica o "por quê?" e tentando resolver o problema como Elifaz, Bildad e Zofar, ou também professando a nossa inocência como Jó, dado que não conseguiremos.

Não existe uma resposta. A única resposta que Deus poderia dar é: "Queria você indagar os meus projetos e darme sugestões?"

Desta forma, a verdadeira solução é: "Senhor, eu me abandono em Ti". Esta é a resposta, olhar para o Cristo sofrido. É a resposta que Paulo dá nas suas Cartas, quando escreve que acha a resposta em Cristo Crucificado, propriamente nele; é evidente a sua fraqueza, mas ele acha, precisamente, a força necessária no Cristo Crucificado, loucura para os Judeus e os Gregos, enquanto para ele é a glória. Podemos ler estes belíssimos textos em *2 Coríntios* 11:23-30; *1 Coríntios* 4:10; *1 Coríntios* 1:23-25.

Se olharmos para o Cristo, Cristo não se transforma em uma resposta, mas se transforma em uma solução. Nós, na realidade, não queremos uma resposta à pergunta "por quê?", mas tentamos achar uma solução para o nosso sofrimento. Os sofrimentos que não são causados pelos nossos pecados ou pelo pecado dos outros podem transformar-se em sofrimentos de redenção. Nesta luz podemos entender melhor o que Jesus diz em *Mateus* 16:24: "Tome sua cruz e siga-me". De fato, quando tenho uma cruz e o Senhor me pede para uni-la a Sua, esta se transforma em uma Cruz que redime. Neste ponto é importante lembrar que desta Cruz sai uma grande energia.

4. ESPÍRITO SANTO COMO "ENERGIA"

Bem, consideremos um pouco também esta palavra, "energia", uma palavra que hoje é muito usada pelos seguidores da Nova Era. Mas eu definitivamente uso esta palavra "energia" não por ser moderno ou usar o termo da Nova Era, mas retornando mesmo aos santos padres (estou me referindo aqui aos santos padres do Oriente) quando definem o Espírito Santo como "energia". Enquanto os santos padres do Ocidente amam chamar o Espírito Santo de "Paráclito" (advogado, protetor), um nome utilizado muitas vezes por Jesus mesmo, os santos padres do Oriente amam chamar o Espírito Santo de "energia". Assim esta não é uma palavra inventada pelo movimento Nova Era, mas de fato uma palavra originária da tradição da Igreja.

Eu amo chamar "energia" o que sai do sofrimento! Explicando melhor: quando estou pregando, nesse momento sai uma "energia" da minha pregação; uma "energia" que não é minha. Uma palavra humana não muda uma pessoa. Não possui a força necessária para mudar alguém. Mas às vezes encontramos pessoas que falam: "Escutei aquela palavra e ela me mudou". O que aconteceu? Aconteceu que Deus a esta palavra, sendo eu somente um instrumento, deu a "energia" necessária. É o grão quando Jesus diz:

"Se tiverdes fé, como um grão de mostarda, direis a esta montanha: Transporta-te daqui para lá, e ela irá." (*Mateus* 17:20)

Não é a minha fé que produz aquela mudança, mas é a "energia" que Deus dá para a pouca fé que possuo; não é a minha energia! Esta não altera nada. Dessa forma aquela palavra que, tirada de Deus, é revestida dessa "energia", para essa pessoa em particular, nesse momento, consegue convertê-la, e a converte completamente.

Assim, o Senhor usa a palavra, põe a "energia" na palavra; a mesma "energia" que é posta nos Sacramentos; a grande "energia", a força que age na Eucaristia que mudou muitas pessoas. A "energia" que opera quando o sacerdote perdoa o pecado.

Mas existem muitas circunstâncias em que Deus usa alguma coisa e transmite "energia" e por meio desta "energia" muda, transforma, faz um milagre. Certamente é "energia": muitas vezes nós, especialmente nós, sacerdotes, a percebemos ao nosso redor. Uma pessoa que foi curada, uma pessoa que se converteu, casais em vias de separação que se reconciliam etc., são os momentos em que Deus transmite a sua "energia", o seu Espírito em definitivo. Assim, no sofrimento, opera uma grande "energia".

O Documento sobre a cura diz ainda que a Igreja olha para os doentes, acolhe os doentes e não somente como objeto da sua amorosa solicitude, mas também reconhecendo o seu chamado a viver a vocação humana e cristã. Eles que podem falar: "O que falta às tribulações de Cristo completo na minha carne, por seu corpo que é a Igreja" (*Colossenses* 1:24). De fato, reconhece que existe uma "energia" que sai do sofrimento, uma "energia" que redime. Também nós, padres, somos chamados a oferecer os nossos sofrimentos para o bem da Igreja. De fato, todos nós, com certeza, temos os nossos sofrimentos: às vezes somos caluniados; às vezes somos mal interpretados; às vezes, por bons motivos, entramos em conflito com nossos superiores. Às vezes operamos o bem e em seguida percebemos que ao invés de ser apreciados, pelo contrário, não somos entendidos. Assim todos nós passamos de panela na brasa. Não há nada a fazer, todos nós! Todos nós mesmos! Muitas vezes rebelamo-nos simplesmente com o sofrimento e isso gera em nós raiva, medo, tensões e dessa forma toda aquela "energia" esvazia-se. Não digo que temos de procurar o sofrimento, não digo que nós não devamos fazer a nossa parte para evitar o sofrimento, como fez Jesus quando pediu para tirar dEle o cálice do sofrimento. Não quero dizer que temos de aceitar passivamente o que nos acontece, mas às vezes mesmo com todo o nosso empenho não conseguimos evitar o sofrimento: o sofrimento corre atrás de nós, e não tem nada que possa ser feito!

5. "ENERGIA" DO SOFRIMENTO

Neste caso temos que assumir o sofrimento para o bem dos outros. Existe uma "energia" no sofrimento! Mais que a nossa predicação, mais que as nossas atividades, é o nosso sofrimento que pode curar e que pode revigorar várias almas que são confiadas sob nossos cuidados.

No Documento já citado sobre as preces de cura, afirma-se que São Paulo descobriu a felicidade do sofrimento. De fato escreve:

> *"Agora me alegro nos sofrimentos suportados por vós."* (*Colossenses* 1:24)

Trata-se, diz o Documento, da felicidade pascal. Para quem se desespera, para quem não sabe enfrentar o sofrimento, isto será uma passagem da vida pela morte; enquanto quem sabe enfrentar o sofrimento, o próprio sofrimento se transforma em passagem da morte para a vida, e produz a felicidade, fruto do Espírito Santo. E, como São Paulo, também muitos doentes podem ter a "felicidade do Espírito Santo nas suas tribulações", para ser verdadeiramente testemunhos da ressurreição do Cristo. (*Tessalonicenses* 1:7)

É bonito descobrir a eficácia dessa grande "energia" na nossa vida! É bonito descobrir que a solução do problema está em descobrir que Deus está sofrendo juntamente comigo. Por isso falei que Jesus não é a resposta, mas se transforma na solução do meu sofrimento. Ficamos, é claro, por pouco tempo sem resposta, mas temos uma solução. E a solução é a felicidade de saber que o Pai está sofrendo comigo. "Sede misericordiosos, como também vosso Pai é misericordioso." (*Lucas* 6:36) É interessante esta palavra "misericordioso" (que tem compaixão), é bonito olhar o Pai como "a Pessoa que tem compaixão". A palavra compaixão vem das palavras *"cum-passio"*, ou com-paixão. Ou seja, o Pai sofre comigo. De fato o Pai está sofrendo comigo, Jesus até fala: a característica do Pai, a característica entre todas as coisas bonitas que existem no Pai é esta: ter compaixão. Em outras palavras, o Pai é quem sofre conosco. E cada um tem de fazer isso também com os outros. Dessa forma, a solução para o meu sofrimento está quando o Pai olha para o Filho na Cruz.

Eu estou certo que Deus não queria este sofrimento só pelo sofrimento, de outra forma que Pai Ele teria sido? E também não podemos falar simplesmente: Deus permitiu acontecer.

Quando usamos a palavra "permitir", é como se disséssemos a alguém (também se não entendemos isto a linguagem nos faz pensar) que o Pai ficou indiferente, permitiu...! E, de fato, quando nós, sacerdotes, usamos de forma filosófica, ou, se preferirem, de forma teológica essa distinção com os nossos fiéis, estes não a aceitam. Desculpem-me o permite? Mas se o vê por que não o tira? De fato a palavra permitir, muitas vezes até se teologicamente correta, é entendida como olhar para o que está acontecendo com indiferença, deixando acontecer sem fazer nada para intervir.

Diferente é quando falamos! No momento do sofrimento estamos envolvidos no amor: estamos unidos a Deus que sofre conosco, que sofre conosco!

"Sede misericordiosos, como também vosso Pai é misericordioso."

Termino aqui estas minhas reflexões dizendo que somente olhando para Ele podemos achar a solução verdadeira do nosso problema. Quero concluir apresentando um texto muito conhecido, precisamente onde São Paulo fala aos Filipenses do sofrimento de Jesus:

> *"Dedicai-vos mutuamente à estima que se deve em Cristo Jesus. Sendo ele de condição divina, não se prevaleceu de sua igualdade com Deus, mas aniquilou-se a si mesmo, assumindo a condição de escravo e assemelhando-se aos homens. E, sendo exteriormente reconhecido como homem, humilhou-se ainda mais, tornando-se obediente até a morte, e morte de cruz. Por isso Deus o exaltou soberanamente e lhe outorgou o nome que está acima de todos os nomes, para que ao nome de Jesus se dobre todo joelho no céu, na terra e nos infernos. E toda língua confesse, para a glória de Deus Pai, que Jesus Cristo é Senhor."* (*Filipenses* 2:5-11)

O Senhor Jesus soube, sim, humilhar-se e colocar-se nas mãos do Pai gritando na frente de todos: "Pai meu, nas tuas mãos ponho o meu espírito".

Oração:

Hoje, aqui na Tua frente, Senhor, queremos pôr nas Tuas mãos todos os nossos sofrimentos. Pomos nas Tuas mãos o nosso ser sozinho; os momentos em que não nos sentimos ser amados pelos outros; os momentos em que nos sentimos abandonados; os momentos em que, como Tu, Senhor, fazendo o bem, recebemos o mal; os momentos, Senhor, em que fazendo tudo que está nas nossas possibilidades não vemos nenhum resultado e devemos suportar a vergonha das falências da vida; os momentos em que somos caluniados, tentados; os momentos em que caímos e, humilhados, às vezes nos desencorajamos.

Senhor, Tu conheces mais que nós mesmos os nossos sofrimentos. Para não falar das nossas doenças e dos nossos sofrimentos físicos.

Senhor, hoje Te peço: faz-me entender que o sofrimento não é uma indiferença de Tua parte comigo, mas que este sofrimento, Senhor, possua uma "energia" muito grande. Senhor, faça que eu possa usar essa "energia" para o bem dos outros, e para o bem das tantas almas confiadas a minha cura. Faça que eu possa dirigir essa "energia", Senhor, para não desperdiçá-la em vão com falatórios, rebeliões e falta de aceitação. E me faz entender, Senhor, no decorrer do meu sofrimento, o grande amor Teu para mim. Quando sofro, Tu não estás longe; pode ser que Tu sejas silencioso, mas no silêncio Tu sofres comigo. Faça que eu entenda isso, Senhor, guia-me para essa descoberta para poder, Senhor, aceitar melhor este sofrimento com que redime esta chamada. Assim, Senhor, possa eu, Senhor, completar o que falta a Tua paixão. Amém.

Capítulo III

O Pecado

"Levanta-te e anda!" (Atos dos Apóstolos 3:6)

1. CURA ESPIRITUAL

Temos considerado o encontro com Jesus sob quatro dimensões: com Jesus que Cura, com Jesus Mestre, com Jesus Amigo, com Jesus Senhor de toda a nossa vida.

Neste livro queremos fazer uma reflexão sobre Jesus que Cura, sem pensar que encontrando Jesus que Cura chegamos ao cume da nossa caminhada, mas sabendo que estamos no começo da nossa caminhada.

A cura interior que pedimos ao Senhor, este encontro que temos com Ele pode ser considerado sob quatro aspectos. São aspectos de que já ouvimos falar várias vezes, não é nenhuma coisa nova:

- A cura espiritual.
- A cura psíquica.
- A cura física.
- A cura que liberta.

Por cura espiritual não entendo somente a cura do pecado, mas também das raízes do pecado.

A cura psíquica é aquela que geralmente chamamos de cura interior; portanto, a cura para todas as nossas emoções: medo, raiva, solidão, tensões de cada tipo, estresse na vida, todo esse desequilíbrio das nossas emoções do qual falaremos mais à frente.

A cura física já ouvimos falar várias vezes.

A cura que liberta, a cura dos ataques do inimigo ou dos resultados que estes ataques deixam na nossa vida. De fato o diabo como um leão nos cerca continuamente tentando apavorar, desencorajar, confundir. (cf. *1ª Epístola de São Pedro* 5:8)

2. O PECADOR - CRIMINOSO

Um grande psiquiatra alemão, Karl Menninger, afirma que podemos classificar os pecadores em três categorias. Para Menninger, pecador não é somente a pessoa que peca moralmente, mas quem faz o mal.

A primeira categoria Menninger a assemelha ao criminoso.

Qual é a atitude de um criminoso? A atitude de um criminoso é: ser consciente de ter pecado, mas ao mesmo tempo pensar que não pode sair da situação. Um criminoso que está pagando a sua pena na prisão também afirma ser inocente sabendo não o ser; de fato ele não duvida da sua criminalidade, mas no seu coração diz: eu sei que sou um criminoso, porém não posso fazer nada para mudar; por minha culpa ou não por minha culpa, estou aqui; e não tem possibilidade de volta; os outros não me aceitarão, criticam-me por aquilo que eu sou, deixam-me de lado, em função disso este é o meu destino, devo viver assim. É a categoria do criminoso que, pagando a sua pena, já está pensando no que deverá fazer quando sair da prisão: repetindo as mesmas ações, porque não vê uma saída e diz: esta é a minha situação.

Segundo Menninger, essa é a situação de muitos que praticam o mal (nós, padres, podemos confirmá-lo).

Muitos pecadores falam para si mesmos: Eu sou, de fato, assim, sou uma pessoa cheia de raiva, o que você quer? Não estou contente comigo, mas não posso fazer nada para mudar, sou aquele que sou; este é o meu caráter, este é o meu temperamento, vocês devem me aceitar assim com eu sou e fim!

Como vocês podem ver, quem está nessa situação não pode progredir, não pode sair do seu estado, ele aceita a situação, até não a aprovando, convive com ela, e não vê nenhuma via de saída. Esse é o caso de tantos, também de padres, ou religiosos, que aceitam passivamente o próprio pecado invencível, mas isso não é aceitar a Cruz como Jesus fez para cumprir a vontade do Pai.

A vontade de Deus pede-lhe para sair da situação de pecado, a vontade de Deus impõe-lhe: "levanta-te e anda!" Deus espera que você fale como o filho pródigo: "Eu levantarei e irei para o meu Pai", e quer que você lute contra o mal que está em você. Certamente, muitas vezes não podemos lutar sozinhos.

Ao lermos o capítulo 7 da *Carta aos Romanos* veremos que o apóstolo Paulo faz uma autoconfissão. Ele apresenta-se à comunidade de Roma como um grande pecador. Vejam, nós não conseguimos fazê-lo, mas São Paulo conseguiu! "Este sou eu. Vejo-o bem, admiro-o, desejo isso, mas faço o contrário".

São Paulo vivia essa crise, e é bonito ver como os santos aceitam os seus pecados. São Pedro, que renegou Deus, não falou para os evangelistas: "Está bem, eu cai, mas agora não precisa mostrar para todos a minha queda, não é necessário que nas comunidades todos leiam o meu pecado, não é mesmo necessário toda essa propaganda". Pedro se apresenta como um pecador e este homem guia a Igreja!

Paulo voltava-se à comunidade de Roma, uma comunidade ainda jovem; e quantos jovens precisam olhar para os modelos, porque antes de chegar a Jesus existe um árduo caminho! Desta forma o modelo era Paulo e Paulo se apresenta como um que diz: nos meus membros existe uma lei, uma lei de pecado; no meu corpo existe uma lei, uma lei de pecado; eu vim do pecado, o pecado vive em mim! São expressões que se acham na *Carta de Paulo aos Romanos,* capítulo 7, onde ele mostra toda a sua humanidade, humanidade que, no fundo, todo mundo tem, incluindo os sacerdotes. Muitas vezes as pessoas nos olham como modelos! Ao contrário, não existe nada de mal que as pessoas saibam que somos pecadores! O importante é a humildade de nos apresentar assim como somos, também nós, na caminhada, juntamente com eles. Paulo escreve aquelas palavras terríveis: "Quem me separará deste corpo de morte?" Paulo aqui fala dos romanos. Uma das torturas mais terríveis que os romanos davam a um assassino era unir o corpo do assassino com o cadáver do assassinado, face a face, e deixar o condenado morrer pouco a pouco cara a cara com o cadáver.

Paulo provavelmente refere-se a essa tortura, ele, que se sente como amarrado a um corpo de morte, este corpo de pecado. E propriamente por esse desespero, para chamá-lo assim, Paulo grita: "Quem me separará deste corpo de morte?" e em seguida dá a resposta: é por meio de Jesus Cristo, é por meio de Jesus Cristo! Depois, no capítulo 8, que é um dos mais lindos sobre o Espírito Santo, Paulo invoca, pede essa "Energia", porque, ele diz, nós não temos nem a força de rezar, não temos nem a "energia" para rezar, não sabemos rezar, não sabemos nem pedir para Deus o que nós precisamos, mas aparece o Espírito e Ele reza em nós, grita em nós: Abba, Pai!

Portanto, quando nós, na frente do nosso pecado, dizemos: "Não agüento mais", a resposta é: "Você tem razão! Você não pode conseguir, você não tem a força para conseguir, nós não temos a força para conseguir, mas existe quem nos ajudará! Jesus Cristo". Certamente aqui Menninger como psiquiatra não pode ir adiante porque não tem nenhuma "energia" para oferecer, não pode fornecer nenhuma "energia", não pode sugerir um remédio! O psiquiatra chega até um certo limite, mas nós vamos além. Nós vamos pegar essa "energia", mas não por intermédio de um remédio ou da psicoterapia, meios naturais que não devemos absolutamente condenar; mas todas as ciências chegam até um certo limite que em seguida temos de ultrapassar. De fato, na Inglaterra e nos Estados Unidos existe a A.C.T. (*Association of Cristian Therapist* – Associação dos Terapeutas Cristãos), uma associação de médicos, psiquiatras, psicólogos, sacerdotes, terapeutas que reconhecem que a sua ciência chega até um certo ponto onde deve parar. Também a teologia chega até um ponto em que fala: *STOP* ("PARE"). Depois desse ponto precisa-se de uma "energia" ainda maior que é o Espírito Santo! E assim vamos além.

A A.C.T. é constituída por cientistas que olham para o homem como uma pessoa completa de psique, corpo e espírito, reconhecendo que somente Jesus através do seu Espírito pode levar à cura completa.

Considerando a primeira categoria, a categoria das pessoas que já estão desencorajadas, aquelas que falam: não consigo, não consigo!, a resposta é: não! Não conseguirá sozinho, mas pode conseguir com a ajuda do Espírito de Jesus, com o Espírito de Jesus! Qualquer situação negativa na qual podemos nos encontrar não deve ser considerada como definitiva, como se não existisse uma saída; sempre existe uma via de saída com a força que Jesus nos dará. "Quem me separará deste corpo de morte?" – Jesus Cristo com o Seu Espírito!

3. O PECADOR – DOENTE MENTAL

A segunda categoria de pecadores, que faz o mal, diz Menninger, pode ser assemelhada a quem é doente mental.

O doente mental tem uma atitude oposta à atitude do criminoso: o criminoso conhece o pecado, conhece o seu crime, mas pensa não poder se livrar. Já o doente mental fala: "Não, eu não sou culpado", ou melhor, "Eu não sou doente!", quando todos os outros percebem a sua doença. Se alguém diz para o doente mental: "Você necessita de um psiquiatra", e ele responde: "Eu não; mas todos vocês necessitam de um psiquiatra, eu não!", este é o indicador mais claro que é doente. Ele de fato não vê o que ele é, não vê o estado em que se encontra, nem vê o seu pecado, quando todos os outros o vêem.

Este poderia ser o pecado de qualquer um de nós, também de nós, padres, e não há nada a fazer. Alguns anos atrás nos Estados Unidos fizeram um estudo sobre os complexos de superioridade. Descobriram que os padres são os primeiros. Trata-se de uma pesquisa científica! Os padres são os primeiros a ter complexos de superioridade porque pensam ter chegado onde ninguém pode corrigi-los, ninguém pode criticá-los: Eles estão onde estão! Nós, padres, não aceitamos que ninguém nos corrija!

De fato, se formos mais a fundo, percebemos que é liberado um mecanismo de autodefesa. É muito difícil corrigir um padre! Também entre nós mesmos estamos bloqueados e isso com certeza nos põe em uma situação muito, muito feia, muito antipática. No momento que ninguém pode nos corrigir, todos acabam falando pelas nossas costas.

Aqui vem à minha mente aquela teoria americana que se chama de *Jo-Hary´s Window* ou a janela de Johari. São dois jovens autores que elaboraram esta teoria muito simples, mas que nos ajuda a refletir. Eles sustentam que a nossa vida pode ser assemelhada a uma janela de quatro quadrados.

O primeiro quadrado contém as informações relativas ao conhecimento pessoal e ao que os outros sabem de mim; desta forma o primeiro quadrado é completamente identificado.

Todos sabem, por exemplo, que eu sou um padre e que comando uma paróquia. Todos sabem que eu sou um pouco nervoso, ou demasiadamente calmo... Todos sabem tudo! Têm uma informação, um conhecimento que é evidente para mim e para os outros, e aceitamos.

O segundo quadrado contém as informações que somente eu conheço, somente eu e nenhum outro, ou somente se alguém conhece a minha vida privada.

São as coisas que não falo para ninguém. Desta forma é um pouco a minha máscara; uma máscara, parte de mim, com que me apresento a todos! Eu, por exemplo, estou escrevendo estas coisas; vocês não sabem se o que eu digo eu cumpro ou não; desta forma tenho a minha máscara. Quando falamos ou aconselhamos aos outros (quem sabe quantas coisas aconselhamos!), pode ser que não a cumpramos. Desta forma existem algumas coisas em mim, em todos nós, que somente eu conheço, mas os outros não conhecem. Entre estas o pecado.

Como vimos anteriormente, São Paulo era livre, mais livre que nós. Ele não tinha nenhuma inibição para se colocar de frente para a sua comunidade e dizer: "Olhai, eu sou aquele que eu sou; eu sou um fraco, eu estou com vós, estou lutando para fazer o bem; não achai que para mim seja fácil fazer o bem; existe uma lei natural que me atrapalha!" Olhem São Paulo: Livre! Quem de nós sabe fazer como ele? Também Pedro é livre; já possui a liberdade. Agostinho, após a sua conversão, já livre, escreve o livro das *Confissões* explicando tudo o que ele é de verdade. Este é o segundo quadrado.

O terceiro quadrado de Jo-Hari é ainda mais perigoso: contém as coisas que eu não sei e todos os outros sabem sobre mim, e estas também são parte de mim.

Como já falava, aqui estamos na atitude do doente mental que não reconhece ser doente. Todos os outros são loucos, diz o louco, eu, ao contrário, sou sadio; mas o louco é ele! Está em nós um mecanismo de autodefesa contínua por meio do qual eu me defendo não aceitando o que realmente sou; de fato para os outros, que estão me vendo, é uma coisa clara! Todos falam, todos vêem, todos acreditam, menos eu! Este é o terceiro quadrado.

O quarto quadrado é aquela parte de mim que eu desconheço e os outros também desconhecem! Eu, por exemplo, sou um sacerdote e acho muito fácil dizer a uma mulher para não abortar; estou convicto! Mas se eu estiver casado e antes do casamento tivesse engravidado uma garota, teria sido tão disposto a defender a vida? Quem sabe?!

É uma parte desconhecida também para mim, porque é muito fácil dar conselhos não estando na situação. Eu não conheço todas as minhas forças e fraquezas! Muitas vezes uma força ou uma fraqueza é descoberta vivendo pessoalmente uma experiência. Portanto, existe uma parte de mim que é desconhecida por mim e para os outros.

Os autores da teoria de Jo-hari chegam à conclusão que quanto maior fica o primeiro quadrado, ou quanto mais espaço possua o primeiro, menos espaço existe para os outros; quanto mais aumentamos o primeiro quadrado mais espontaneidade teremos, mais aceitação de ser corrigido, mais liberdade de espírito, portanto existirá menos obscuridade nos outros três quadrados.

A teoria supracitada, acredito, pode ser útil até se por acaso nos encontrarmos na segunda categoria de Karl Menninger, a dos pecadores doentes mentais.

4. O PECADOR – SAUDÁVEL

A terceira categoria de pecadores é interessante. Menninger a chama de pecador saudável, duas coisas que parecem em oposição!

O verdadeiro pecador não é quem peca, mas quem permanece no pecado, é quem não tem a força de levantar e continuar a sua caminhada. O verdadeiro problema do jogador de futebol não é quando cai. De fato ninguém calcula as caídas dos jogadores de futebol, mas, caído, continua no chão. Se cai e depois levanta, continua a correr, a jogar, essa caída pode ajudar na experiência da vida. Não estamos aprovando a caída, porque uma caída é sempre uma caída e não sabemos como acaba, mas, como diz o Cardeal Newman[1], a maturidade de uma pessoa é calculada não pelas caídas, mas pela forma de se levantar das caídas.

Às vezes acontece de eu assistir aquele esporte, o *football* americano, em que os jogadores, parecidos com elefantes, lutam juntos; a coisa impressionante é que quando um faz o outro cair, parecendo um elefante, levanta-se de imediato. Se nós caíssemos, não tendo todas essas proteções, provavelmente ficaríamos no chão! Não estamos treinados a levantar imediatamente; é aí que se vê o preparo e a capacidade da pessoa.

Por esse motivo Menninger o chama de "pecador saudável", saudável no sentido de que sabe enfrentar o seu pecado. De fato, um dia ou outro todos nós pecamos de alguma forma, mas o importante é saber como se levantar do pecado, não ficar no chão. Porque o pecado pode nos desencorajar, mas pode também nos dar um empurrão para irmos em frente, para chegar mais perto do Senhor.

Temos o exemplo de uma mãe de uma menina agitada, vivaz, que corre para todo lado. A mãe grita, mas a menina não escuta! Porém, logo depois, ela cai, machuca-se e corre imediatamente para o colo da mãe. É o caso de dizer juntamente a São Agostinho: "*felix* culpa!" Não é que nos alegremos do tombo da menina, mas era a única maneira de fazê-la voltar

[1]John Henry Newman, ordenado sacerdote da Igreja Anglicana em 1824, e mais tarde convertido ao catolicismo, autor de muitos livros preciosos sobre a fé católica transforma-se em uma figura de primeira grandeza na Igreja Católica.

para os braços da sua mãe. Muitas vezes o pecado faz isso conosco.

Mas também temos de fazer todo o possível para evitar o pecado, no entanto, se cairmos, deixemos que Deus tire todo o bem disso. Quando Paulo escreve aos tessalonicenses, dando para eles o último recado (estava para morrer), diz: "Em todas as circunstâncias, dai graças a Deus." (*1 Tessalonicenses* 5:18) Sim também no pecado damos graças a Deus, certamente não por tê-lo cometido, mas para o bem que Deus sabe tirar do pecado.

Uma vez na Sicília estava pregando em um retiro ao final do qual estava prevista a celebração da Missa do dia. Muitas pessoas estavam no retiro, eu estava demasiadamente cansado, e, terminada a celebração, corria para o meu quarto, para achar um pouco de paz, mas atrás de mim corria também uma mulher que, em um primeiro momento, tentei evitar, porém ela era tão insistente... E dessa forma falei para mim mesmo, "está bem!" Recebi-a e me contou que tinha feito uma viagem de três horas e por isso eu não podia deixar de recebê-la. Entramos em um quarto e ela começou a chorar, chorar... Era uma mulher muito jovem (teria cerca de 28 anos). Após ter melhorado um pouco, disse-me: "Padre, tenho AIDS, estou esperando a morte!". Fiquei abismado.

Naquele momento a abracei para ela entender que Deus a amava e ela começou a dizer: "A minha vida é esta: sou casada faz cinco anos, mas, após um ano de casamento, tendo também uma menina, não sei o que aconteceu, senti que não podia continuar daquela forma. Deixei uma carta para meu marido e fugi de casa. Assim, achei-me na rua." Aquela mulher tinha acabado na prostituição e, após a prostituição, a droga. Após quatro anos dessa vida pode ser entendido como ficou doente. Foi ao médico que lhe disse que estava infectada de AIDS. Enfim, ela que tinha deixado Deus, os seus pais, o marido e a menina, não sabia o que fazer; os amigos não existiam mais; com os pais não tinha tido nenhum contato; o marido, não sabia onde estava, ou se estava com outra mulher; da menina não sabia nada... Naquela confusão tomou uma decisão: ligaria para casa, se ainda era sua casa. "Eu ligo". Ligou, atendeu o marido e ela lhe disse: "Olha, ligo simplesmente para te informar que sou a tua esposa, e que estou com AIDS". O marido respondeu assim: "Vem já para casa, te hospedo e te ajudo!" É preciso coragem!

Aquela mulher, naquele momento, teve um pouco de luz. Foi para casa, o marido hospedou-a e tratou dela. Lembro que três ou quatro meses após, na festa da Imaculada Conceição, quando eu pregava em Palermo, na Igreja de São Francisco, aquela mulher me procurou: eu não a tinha reconhecido, porque, encontrando muitas pessoas, não se consegue reconhecer todas. Ela viera com o marido e a menina e me perguntou: "Você sabe quem eu sou?" Respondi: "Bem, não a conheço." "Eu sou aquela mulher portadora de AIDS; a morte chega cada vez mais perto, porém estou aqui para lhe dizer que sou a mulher mais feliz do mundo!"

Esta, para mim, foi uma experiência que guardo para sempre na minha alma! Essa mulher, apesar da morte que chegava cada dia mais perto, disse: "Sou a mulher mais feliz do mundo", porque o marido a havia recebido de volta com a filhinha. Precisamente aquela mulher podia dizer: Obrigada, Senhor, por esta minha doença. Obrigada, Senhor, porque em função desta minha doença voltei a viver novamente, fez-me novamente encontrar os meus entes queridos, os meus pais, porque novamente me fez Te encontrar, meu Senhor, na minha vida!..

De fato este é o pecador sadio, o pecador que ao contrário de se desencorajar olha para o pecado e diz: "Senhor, obrigado pelo bem que sabes tirar do meu pecado". Este é o pecador saudável de quem fala Menninger. Nós temos de ser sempre pecadores saudáveis! Se estamos na caminhada não podemos sempre ser limpos porque a poeira nos ataca, porque várias circunstâncias nos fazem pecar; mas sabemos que tem um Deus que, de braços abertos, nos espera para nos acolher.

5. A RAIZ DO PECADO

A coisa mais importante é tentar achar a raiz do pecado e isto digo também para nós, sacerdotes, não somente para as pessoas que vêm até nós.

O pecado que cometemos é somente o cume do *iceberg*, da montanha de gelo. Como vocês sabem, a montanha de gelo tem fora da água somente 1/8 de tudo que realmente é. Desta forma os restantes 7/8 estão debaixo da água; por isso, se você vir uma grande montanha de gelo, somente verá uma pequena parte da mesma, todo o restante está na água. Desse modo são os nossos pecados. Eles são somente o cume de um *iceberg*: fico bravo por qualquer coisa, os outros percebem que estou com raiva, mas o que está embaixo? De onde vem este acúmulo de raiva? Se olhamos a fundo podemos ver que aquela raiva pode ter tido o seu começo no ventre materno. Quando falamos de cura espiritual não é somente do ato do pecado, mas de tudo que está ao seu redor: nós não devemos somente pedir perdão, mas pedir também a cura da raiz do pecado.

Nós, como sacerdotes, devemos utilizar o Sacramento da Reconciliação não somente para perdoar, mas também para operar a cura, porque tudo que nós conhecemos do pecado é, sim, perdoado pela absolvição sacramental, mas não necessariamente vem curada ou eliminada a sua raiz. Existem raivas em nós, existem nossos pecados sexuais (a masturbação ou qualquer outro pecado sexual), existe o desejo de poder com a ambição que ele gera, a presunção como mecanismo de autodefesa, o ser apegado ao dinheiro etc. De fato, acontece exatamente isso: muitas vezes, o diabo tenta-nos indiretamente, querendo entrar pelas brechas abertas dessas raízes profundas na nossa vida. Muitas vezes os jovens e também os menos jovens descobrimos que a masturbação nada mais é que uma autodesaprovação, ou o resultado de um abuso sexual no passado.

De fato, se somente foi olhado para o pecado, perdoando-o, sem ir a fundo para curar as causas, facilmente, em pouco tempo, se cairá novamente no mesmo pecado, porque a raiz permanece, a raiz continua no mesmo lugar! Por isso é extremamente importante olhar para a cura dos pecados. Devemos nos perguntar: por que eu ajo sempre assim? Por que, quando me confesso, eu me sinto tranqüilo por ter lutado com todos os meus pecados, mas depois quando chega esse pecado freqüente, eu não tenho mais força? Por que eu consigo lutar contra todos os outros pecados, mas depois vem a minha fraqueza?

Dá para entender: o maligno penetra através do ponto fraco; o diabo tenta, mas também oprime! A opressão é certamente a sua entrada através do ponto fraco que existe na minha personalidade. Se quero de verdade fechar essa brecha, eu devo quebrar essa raiz; devo achá-la, antes de tudo, quebrá-la e por fim debelá-la.

Estar espiritualmente curado quer dizer ser curado das dependências que temos. Às vezes, nós não as consideramos pecados, e, sim, bloqueios às vezes maiores que o pecado. Quando falamos de dependências, por certo, normalmente lembramos das dependências do álcool, do jogo, da droga ou do dinheiro... Sim estas são as dependências um pouco mais sérias, mas todos nós temos normalmente alguma dependência. Todos nós! A dona de casa pode ter a dependência da limpeza, o homem que quer fazer carreira no trabalho... Também nós, sacerdotes, podemos ter um pouco de dependência. Provavelmente a dependência maior que nós, sacerdotes, temos é do trabalho pastoral e para um certo tipo de trabalho.

Quando falamos dependência não necessariamente falamos de dependências negativas ou más (ter dependência da droga é uma dependência má em si mesma, mas ter dependência para o apostolado pode parecer uma coisa boa, sendo o apostolado uma coisa louvável). No entanto, quando eu não consigo me controlar, o que quer dizer? Quer dizer que eu considero o apostolado acima de coisas que devem ter prioridade, como a oração pessoal, como a minha caminhada espiritual e, assim, nós percebemos, muitas vezes, que no centro da nossa vida não tem o Cristo, mas "coisas" que fazemos por Ele, não Ele. Daí nasce um desequilíbrio resultante de uma dependência que tenho de um particular trabalho ou de um particular carisma.

O Senhor às vezes nos dá um carisma e depois Ele o pega de volta para nos dar um outro, por outras circunstâncias, por outras situações, mas nós não o aceitamos. Assim aparece o pecado; o pecado consiste em não fazer a vontade de Deus para poder trabalhar para Deus: são coisas opostas, mas é a realidade! Às vezes, o pecado não é somente não observar um dos mandamentos, mas também colocar a mim e o meu trabalho no centro! Neste meu trabalhar, neste meu fazer e organizar atividades, seja pela glória do Senhor, pode existir no fundo um pouco de querer a minha glória.

Capítulo IV

Doenças Interiores

"Não os temais." (Marcos 9:36)

1. A CURA DAS EMOÇÕES

Falamos, até agora, da cura espiritual querendo aplicá-la também a nós, padres, dado que todos a necessitam. Pois também padres, de fato, vivemos nesta humanidade ferida.

Passemos para a segunda dimensão da cura espiritual que é a cura interior, que podemos também chamar de cura psíquica, ou seja, cura das nossas emoções.

Em *João* 10:10, Jesus diz ter vindo aqui nesta Terra para nos dar uma vida, e uma vida abundante, portanto que não seja vivida de qualquer forma, mas para nos fazer viver na felicidade. É interessante notar quc no Documento de Ratzinger sobre a cura é citada uma frase do Papa João Paulo II, que diz: "A nossa chamada é uma chamada para a felicidade!" Muito bonita esta expressão: Uma chamada para a felicidade, desta para uma vida completa. Quando São Paulo saúda a comunidade de Tessalonica escreve:

> *"O Deus da paz vos conceda santidade perfeita. Que todo o vosso ser, espírito, alma e corpo, seja conservado irrepreensível para a vinda de nosso Senhor Jesus Cristo!"* (*1 Tessalonicenses* 5:23)

Desta forma augura uma saúde completa. O homem é salvo, mas a salvação não consiste somente em chegar à vida eterna:

a salvação começa aqui! Quando os Apóstolos perguntaram para Jesus:

> *"Quando chegará o Reino de Deus?"* (*Lucas* 17:20)

Jesus respondeu:

> *"Pois o Reino de Deus já está no meio de vós"*. (*Lucas* 17:21)

Este Reino consiste em encontrar Jesus na nossa vida, um encontro que começa aqui na Terra; e que encontra seu cume na morte; a morte é o momento da cura máxima! A morte não é o fim, mas, ao contrário, o começo de uma nova vida para a qual podemos dizer: agora sim, o homem velho morreu; agora sim, o homem novo começa a viver na sua completude! Desta forma não podemos somente considerar a cura espiritual, mas todas as dimensões da cura, e a segunda dimensão é a interior.

Bom: nós todos somos, com todo o respeito para quem está lendo, um pouco desequilibrados. Todos! Por quê? Porque como ninguém pode falar de ser perfeitamente sadio fisicamente, assim ninguém pode falar de ser perfeitamente sadio mentalmente. Se um tem raiva e percebe que sua ira não é proporcional à causa que a provocou, existe um desequilíbrio; da mesma forma existe um desequilíbrio se tenho uma fobia ou um medo, e este medo não é um medo racional.

Certamente, se vejo um leão que corre atrás de mim é normal eu sentir medo, mas se tenho medo de um inseto inofensivo neste caso existe um desequilíbrio porque com razão sei que o inseto não pode fazer nada de mal para mim, mas ainda assim eu tenho medo. Todos temos medo de uma coisa ou outra: às vezes é medo de avião ou navio, de falar em público, enfim: medos! Medos que não são um sinal de falta de capacidade, pois somos capazes, mas que devido a tais medos nos tornamos incapazes. Quantas coisas a gente poderia fazer, poderia conseguir na nossa vida, mas não fazemos porque temos um determinado medo! Este é um sinal de desequilíbrio! Existem muitos sentimentos de culpa na nossa vida que não têm justificativa. Não digo que não devemos nos sentir culpados quando existe verdadeiramente uma culpa, porque esta é um empurrão no sentido da conversão, mas quando o sentido de culpa se transforma em um bloqueio de natureza psicológica me sinto culpado! Aqueles que, por exemplo, foram vítimas de abuso sexual quando pequenos, se não forem curados, continuam vivendo com sentimento de culpa. E enfim existem as formas de estresse, todas aquelas tensões que podem levar a uma depressão, todas as ansiedades que carregamos nas nossas costas, a solidão que sentimos, a tristeza. Existe desta forma uma massa de emoções desatinadas, e que se desequilibram mais em um período que em um outro. Desta forma precisamos ir continuamente ao encontro de Jesus para falar para Ele: "Senhor, cura-me!"

Todas estas emoções que precisam ser curadas podem ser assim divididas:

- raivas e iras,
- medos,
- sentimentos de culpa,
- ansiedades.

Todas as outras como solidão e tristeza podem ser inseridas em uma dessas categorias, porque as raízes principais são a raiva, o medo, o senso de culpa e as ansiedades que podemos ligar à falta de perdão. A falta do perdão, podemos dizer, está na base de cada ferida que temos.

2. RAIVAS E IRAS

Posso ter uma ira: contra mim mesmo, contra Deus, contra os outros.

- ***A ira contra mim mesmo***

Desta derivam todas as nossas auto-rejeições: eu me desprezo, eu não me aceito, eu não me sinto preparado... Complexos de inferioridade. Uma raiva, uma ira porque tenho errado e erro em algumas das coisas que faço; fico com raiva pelo meu caráter, fico com raiva pela família em que eu nasci, pelo ambiente em que vivo... Portanto, sinto raiva de tudo que faz de mim o que eu sou. Todos nós somos únicos na nossa individualidade: sou aquele que sou! Mas muitas vezes eu não tolero a mim mesmo. Às vezes existe uma ira um pouco escondida em mim que me impede de continuar a minha caminhada no sentido do Senhor.

Muitas vezes me sinto um falido como homem ou mulher, como pai ou mãe, no uso dos carismas que Deus me deu e não usei, sinto-me um incapaz! Esta situação acontece um pouco com todo mundo, mas também acontece a nós, padres, até se exteriormente fingimos ser fortes. Se, ao contrário, formos mais a fundo descobriremos que somos fracos e talvez também pessoas desencorajadas. E uma vez que perdi a minha coragem eu paro. Esta é a ira que tenho contra mim mesmo, uma ira (isto é interessante) que muitas vezes pode gerar complexos de superioridade. Os complexos de superioridade não são mais que complexos de inferioridade mascarados – para escondê-los me esforço e assumo atitudes de superioridade. Aí está a raiz! Se não suporto uma argumentação, não suporto um diálogo, é porque tenho medo de perder; e desta forma uso a agressividade para me impor. Para fazer entender o meu valor, manifesto todos aqueles complexos de superioridade que nascem do meu complexo de inferioridade.

- ***A ira contra Deus***

Trata-se de uma segunda dimensão da raiva, da ira. Não tem nada que ver orar ou falar muito de Deus... Em nós pode existir igualmente uma atitude de ira contra Deus.

Dois psiquiatras, Matthews e Denis Linn, afirmam que qualquer coisa pela qual você não consegue dizer "Graças a Deus" constitui uma ira contra Ele. Na nossa vida existem muitas coisas deste gênero: por exemplo, não somos capazes de render graças para aquilo que não se encaminha bem. Enfim, não sabemos agradecer o Senhor, como sugere São Paulo:

> *"Em todas as circunstâncias, dai graças..."*
> (*1 Tessalonicenses* 5:18)

Quando não consigo falar "Obrigado", obrigado não *por* aquilo que aconteceu, mas *naquilo* que aconteceu; quando não sei agradecer *em* tudo e *por* tudo pensando o bem que Ele consegue tirar também do mal; quando não consigo falar este "Obrigado", existe em mim uma ira, uma raiva contra Deus.

Uma vez falava em um seminário sobre a cura e alguns foram dizer ao Bispo que eu afirmava que nós, padres, temos raiva contra Deus; surpreendido, sentiu-se muito mal!

Mas o fato de sermos padres não significa que não somos humanos; também em nós existe esta ira e muitas vezes não sabemos ir diante de Deus para desabafar com Ele. Pode parecer estranho descarregar a minha ira diante de Deus! Mas não estou dizendo contra Deus, mas com Deus, portanto ao falar muito claramente "Senhor, estou com raiva de Ti", podemos desta forma descarregar a nossa ira!

Além do mais, aquilo que eu sou neste momento já é de conhecimento de Deus; é somente questão de traduzir tudo em palavras para tirar de mim este peso. É a ira do mesmo Jesus. Ele que sempre falava:

> *"Eu e o Pai somos um."* (*João* 10:30)

e ainda...

> *"Pois desci do céu não para fazer a minha vontade, mas a vontade daquele que me enviou."* (*João* 6:38)

quando da Cruz falando com o Pai e na frente de todos, grita: "Deus meu, Deus meu, por que me abandonaste?" (*Mateus* 6:38), aqui Jesus entrega a sua ira. Põe sua ira nas mãos do Pai. Também esta é uma forma de oração!

Muitas vezes quando vamos para diante de Deus usamos máscaras. Eu lembro, por exemplo, que no tempo do meu noviciado ensinavam-nos a deixar todas as nossas tensões fora da porta da Igreja, antes de nela entrar! Não! Não vale! Eu vou diante de Deus assim como eu sou, não com uma máscara. Se estou com uma tensão tenho de ir para a frente de Deus com minha tensão, e não deixá-la e fingir não tê-la para depois voltar e achá-la novamente, esperando-me. Se tenho medo, tenho medo e pronto! Quando Jesus teve medo, não teve nenhuma dificuldade em dizer: Eu tenho medo desta hora.

Devemos ir para diante de Deus e desafogar nEle toda a ira que temos, sim, também a ira que temos contra Ele, de modo a mostrá-la à Sua graça e poder obter a cura.

• *A ira contra os outros*

Guardamos tanta ira contra os outros! Ira que temos acumulado durante os anos porque, como falamos antes, começamos a acumular medos, raivas, complexos ainda no ventre de nossa mãe. Conseqüentemente, levamos conosco todas essas emoções, todas essas feridas que acabam moldando o nosso comportamento, as nossas atitudes; o caráter que precisamente é formado por todas essas emoções e também por aquelas acontecidas no passado. Devemos ter claro isto: Jesus tem vivido toda a nossa humanidade! De fato também Jesus teve as suas iras. No Evangelho encontramos que Ele fica com raiva dos vendedores no templo, tem ira de Herodes.

Lembremos quando os Fariseus andando com Jesus falaram: "Tu não deves pregar na Galiléia" e Jesus respondeu: "vá e falem para aquela raposa que Eu curo hoje e curo amanhã..." Jesus fica bravo com Pedro quando Pedro diz que Ele não deve se expor à paixão. Ele responde: "Sai, satanás, porque você é um escândalo." (*Mateus* 16:23) Ele fica com raiva contra os Fariseus, contra os Escribas, contra os Saduceus...

É importante lembrar que a ira por si mesma não é um pecado, e não é uma coisa negativa. Se lembrarmos da filosofia que fala das "paixões", estas são neutras, portanto é Deus que pôs em nós a ira, a raiva.

A ira é um instinto positivo em si mesmo, porque sem a ira ficaríamos indiferentes diante de cada tipo de situação. A ira é quem me incita a mudar as coisas, a mudar o que não está certo. É quando a ira foge ao meu controle que se torna negativa. Portanto, nós não queremos apagar o instinto natural da ira. Esta é a diferença entre a ira de Jesus e nossa. A ira de Jesus não era uma fraqueza, porque Jesus não peca, era uma figura de linguagem com o qual Ele queria passar uma mensagem. Lembro do bonito discurso que o Papa João Paulo II teve quando visitou Agrigento na Valle dos Templos: em um certo ponto largou o folheto que estava lendo e, com um ímpeto de ira, argüiu contra a máfia!

Este tipo de ira é uma linguagem com a qual você quer ressaltar uma mensagem que pretende passar e isso não tem nada de errado. É como a mãe que fica brava com o menino: não tem nada de errado quando a ira não gera a perda do controle dos nervos, até não chegar a ser histerismo. Quando a ira é uma linguagem que a pessoa usa, não é nada de negativo. Falamos aqui daquelas iras que todos temos, que podem derivar do passado e estão ainda presentes como feridas.

3. MEDOS

Após ter falado da ira passamos a analisar o "medo". Na minha experiência de seminários sobre a cura interior ministrados em diversos países, pude constatar que o medo é o instinto mais comum: é a mais comum entre as feridas que levamos! Trata-se de medos de todo tipo, começando por aqueles que já vimos: como o medo do inseto que algumas vezes achamos na fruta, ou o medo do avião, chegando aos nossos grandes medos de que vêm, por exemplo, de abusos sexuais ou de outras situações. Alguns exemplos nos ajudam a entender como estes medos podem ter raiz no nosso passado.

Lembro de um caso bastante estranho de uma garota entre 14 e 15 anos que tinha um medo enorme da água; muito estranho! Para beber, por exemplo, ela fechava os olhos porque não podia ver a água: a água para ela era uma coisa terrível, apavorava-a. Voltando ao seu passado, o que descobrimos? Descobrimos que esta garota, quando ainda estava no ventre, sua mãe quase morreu afogada. Foi salva por um triz. E desta forma ela, sem ter a clara percepção, no seu subconsciente revivia esse momento terrível; esse episódio vivido no ventre da mãe tinha gerado nela o medo da água. Uma vez encontrada a raiz, uma vez curada a raiz, essa garota curou esse medo. Veremos, mais à frente, como operar tais curas. É um exemplo que apresento simplesmente para fazer entender que todos os medos têm uma raiz.

Todos nós temos alguns medos. O medo em si mesmo é um instinto bom, é um instinto que Deus nos deu para garantir a nossa sobrevivência. Tentemos imaginar se nós não tivéssemos medo de qualquer problema mesmo pequeno: nós nos jogaríamos do telhado! Sem medo, iríamos entre as chamas! É o medo que nos salva do arriscar demais, também do perigo de vida. Portanto o medo em si mesmo é um instinto bom, mas muitas vezes foge ao nosso controle e nos impede de fazer muitas coisas que sabemos fazer. Sabemos fazer, mas não fazemos nunca, por medo. Também nós, padres, muitas vezes não conseguimos ser instrumentos doces nas mãos do Senhor, por "medo". Temos medo, por exemplo, dos carismas, temos medo das falências, temos medo do que os outros possam falar de nós e todos estes medos impedem-nos de ir em frente, nos impedem de nos deixar nas mãos do Senhor para ser usados como instrumentos.

Neste ponto quero abrir um parêntese. É muito útil, a este propósito, o dom das línguas! Vocês poderiam perguntar: o que importa o dom das línguas? O dom das línguas nos transforma em meninos pequenos que balbuciam diante do Deus, pequenos meninos que não se preocupam com o que os outros, ao nosso redor, possam falar: e se nos julgam não tem importância! Porque já existe a espontaneidade, e esta espontaneidade nos abre para receber carismas ainda maiores. Não pretendo afirmar o que falam os protestantes, em particular os Pentecostais, que o dom das línguas é praticamente um sinal indispensável para a efusão do Espírito Santo. Eles afirmam que o dom das línguas é como as presas do elefante: sem as presas o elefante perde toda a sua potência. Não estou falando isso: falo que o dom das línguas é muito útil para nos abrir para outros dons, porque, uma vez em que não tenho vergonha, sei me transformar em um pequeno menino nas mãos de Deus. Desta forma estou mais aberto para receber sucessivamente outros carismas que o Senhor quer me dar para poder usá-los para o bem dos outros.

Muitos fiéis leigos, e também muitos sacerdotes, são contra a Renovação Carismática, ou contra os carismas ou as curas não porque, teologicamente, tenham argumentos contrários, mas por medo, medo de arriscar, medo da falência, medo do que os outros possam falar. Existe em nós este medo que nos impede de nos abandonar de forma completa nas mãos do Senhor! Esta, portanto, é a segunda grave emoção: o medo; nela podemos com certeza achar muitas das feridas da nossa alma.

4. SENTIMENTOS DE CULPA

Aqui não quero falar sobre a culpa, mas do sentimento de culpa. Se tiver pecado tenho que dizer: "Eu pequei, sou um pecador". As culpas são realidades, realidades que não devem nos desencorajar, realidades que devem nos jogar ainda mais nas mãos de Deus, realidade que nos devem fazer encontrar o Cristo Salvador!

O problema maior, nos dias de hoje, é o sustentar que não precisamos de um Cristo Salvador, porque podemos nos salvar sozinhos. Esta é toda a teoria, a filosofia, pode chamá-la como quiserem, da Nova Era, que dizem de não precisar mais do Salvador: "O Salvador sou eu, o Cristo está em mim!" Não se referem naturalmente ao Cristo que mora em mim, o Cristo pessoal. O Cristo seria aquela força, aquela energia que está em mim: mais eu a descubro em mim mais ela sai de mim. Portanto, eu me transformo no Deus de mim mesmo, eu me transformo no Cristo.

Como podemos ver, aqui temos alguma coisa que verdadeiramente está distorcendo, destruindo toda a nossa vida espiritual. Para eles, a vida espiritual consiste em fazer experiências espirituais, experiências feitas por eles mesmos. Ficando uma hora na frente de uma árvore, por exemplo, recebem a energia da árvore. Isto para eles é a experiência espiritual. Estamos sobre trilhos totalmente diferentes, portanto, podemos falar que a espiritualidade da Nova Era é provavelmente o inimigo mais sutil e mais sério da espiritualidade cristã de nossos dias.

Desta forma não me referi às culpas, mas sim aos sentimentos de culpa. A realidade da culpa é aquilo que faz São Paulo falar: "Em mim existe uma lei que não me deixa fazer o bem que eu quero, mas me leva a fazer o mal". Esta é a culpa! Os sentimentos de culpa, ao invés, consistem em fazer me sentir culpado quando na realidade não sou, porém eu digo para mim mesmo: "Deus perdoa o meu pecado, mas eu ainda vivo o meu pecado!" Aqui temos uma grande ferida psicológica. Encontramos muitos fiéis com estes sentimentos de culpa que podem transformar-se em escrúpulos, ou talvez em depressão, em obsessão: muitas vezes nos fixamos a uma idéia... Fixamos a nossa atenção sobre um ponto que é praticamente irreal porque, se Deus me perdoa eu já não sou culpado. O diabo fica certamente festejando quando acha uma fraqueza desse tipo no homem. Ele tenta e consegue com uma certa facilidade nos convencer que Deus já não nos ama.

"Deus me ama!" Tudo começa daqui, a caminhada para a cura começa aqui. A caminhada não começa do falar: "Eu sou um pecador!", mas do falar: "Deus me ama, ele perdoa o meu pecado". Uma vez que Deus me ama, tento não pecar mais, porque o amor deve ser respondido com amor. Portanto, o início da caminhada está aqui: "Deus me ama!" Deus não é amor? Assim o define São João! Quando existe o senso de culpa é muito fácil que o inimigo entre de forma muito sutil para me atrapalhar e fazer que eu pare de continuar na minha caminhada.

5. ANSIEDADES

Uma quarta ferida é determinada por todas aquelas ansiedades que temos: tensões, estresse, tudo que existe de similar, qualquer que seja a forma que queremos denominar. Quero citar aqui, a tal propósito, a afirmação de um grande psiquiatra americano, William Glasser, o qual sustenta que todas as nossas feridas, todos os nossos desequilíbrios psíquicos, originam-se de medos mais banais, como o medo de altura, o medo de caminhar, indo até a esquizofrenia, ao histerismo, achando a sua raiz na nossa baixa auto-estima.

Não sei se é um pensamento um pouco arriscado, todavia William Glasser, que escreveu muito sobre este tema, está verdadeiramente convencido que a nossa baixa auto-estima seja a raiz de todos os nossos distúrbios psíquicos. Agora podemos entender o que achamos no Velho Testamento e no Novo Testamento quando Jesus diz "Ama o teu próximo como a ti mesmo!" (mais tarde nos dará um outro mandamento, o novo mandamento).

Este mandamento tem uma raiz também psicológica: não me amando não posso amar aos outros; tendo pouca consideração para comigo, tenho pouca consideração com os outros; não tendo confiança em mim mesmo, não tenho confiança nos outros. Amai-vos na mesma forma! Ama aos outros como a ti mesmo! Portanto esta falta de amor para conosco, nossa baixa auto-estima, poderia ser a raiz das nossas raivas, do nosso complexo de inferioridade, dos nossos medos, a raiz de todas as ansiedades que temos.

Cada pessoa certamente tem as suas ansiedades, as suas angústias, e, porque não, também Jesus tinha as suas angústias! Precisamente quando chora sobre Jerusalém: era uma ansiedade, uma angústia. Quando Jesus enviando os discípulos em missão disse:

> *"Grande é a messe, mas poucos são os operários."* (*Lucas* 10:2)

é uma ansiedade. Assim como quando Jesus diz também ao jovem rico que pede para segui-lO:

"Vai, vende tudo o que tens e dá-o aos pobres, e terás um tesouro no céu. Depois, vem e segue-me." (*Marcos* 10:21)

Mas esse tinha muitas riquezas e saiu pesaroso. Quando o evangelista diz:

"Jesus fixou nele o olhar, amou-o." (*Marcos* 10:21)

esta expressão demonstra a ansiedade de Jesus. Para não falar do *Getsêmani*! todas as ansiedades que Jesus tinha, os medos (porque estes se ligam)... Quando suava sangue pelo medo, suava sangue por todas as ansiedades que sentia naquele momento; e pelo medo de ter de enfrentar a paixão gritou: "Pai meu, se é possível, afasta de mim este cálice". Também somos repletos de ansiedades: com nossa família, com nossa paróquia, por todos os problemas que temos de enfrentar, pelos pecados que cometemos... As ansiedades existem! E inútil pôr uma máscara; as ansiedades e as angústias existem! A pergunta que temos de nos fazer é esta: Sabemos enfrentá-las? Sabemos enfrentar essas ansiedades, não sozinhos, mas com Jesus? Esta é a pergunta.

Até o momento não demos nenhuma solução acerca da cura; pusemos, portanto, a mão sobre a nossa realidade, sobre o que somos. Com certeza não é suficiente só descobrir as feridas: elas devem ser curadas. Mas antes de ver como devemos curar essas nossas feridas, há ainda alguns pontos para colocar em evidência.

Antes de tudo o passado. Como podemos ver, estamos investigando, por assim dizer, aquilo que nós somos psicologicamente, e muitas vezes até em reuniões de psicoterapia não se faz nada de diferente senão descobrir o nosso passado. A única diferença é que o psicólogo, quando coloca a pessoa diante da realidade do seu passado, às vezes não tem os instrumentos para poder curá-lo dessa época. Desta forma, além da psicologia, temos de achar o Cristo que Cura.

A primeira pergunta que temos a fazer é esta: Por que investigar o passado? Por que não esquecê-lo simplesmente? O que motivou novos problemas? Temos já os problemas do presente, que são pesados, por que indagar sobre o que aconteceu no passado? A resposta é esta: existe um passado histórico que é já passado, mas tem um passado que ainda é presente. Não escavemos o passado histórico. Se você fraturou uma perna, por exemplo, e agora a perna já está boa, é inútil que você continue a lembrar que um dia você fraturou a tal perna! Agora você caminha com a mesma perna já sarada e basta! Esta é uma história que já acabou: quando você lembra disso, lembra e basta. Este é um passado histórico e não deve mais influir.

Mas existe um passado que ainda é presente! Apesar dos anos que passaram, esse passado ainda dá choques elétricos. Gosto de exemplificar com um velho grupo de fios elétricos que você começa a tocar. Os fios que não dão choque estão "mortos", não servem mais: deixe-os em paz! Mas o fio que ao ser tocado, ainda dá choque, mesmo depois de muito tempo, esse influencia a sua vida, influencia a sua caminhada, influencia o seu caráter, as suas atitudes, o seu comportamento, enfim ainda está "vivo"! É deste passado que falamos, aquele que ainda "vive" em nós. Na nossa mente existe o consciente e o subconsciente: o consciente é tudo que lembramos, o subconsciente é aquilo que não lembramos claramente; todavia, seja o consciente ou o subconsciente, estão ainda atuando naquilo que estou fazendo, condicionam meu comportamento. Desta forma temos que pôr em ordem nosso passado.

Somos chamados a curar nosso passado, porque o maligno, ele mesmo, o incita muitas vezes. Atenção: para Deus não existe passado e futuro; para Deus somente existe o presente;

para o diabo somente existe o passado e o futuro. O que Deus fala?: "Não vos preocupeis, pois, com o dia de amanhã: o dia de amanhã terá as suas preocupações próprias. A cada dia basta o seu cuidado." (*Mateus* 6:34) O diabo faz qualquer coisa para que você não viva o seu presente, para fazer que você reviva continuamente o seu passado e para você se preocupar excessivamente com o seu futuro. O diabo não lhe mostra o presente, mostra sempre o passado e o futuro, e quando descobre que no passado existem feridas ainda abertas, feridas que não se fecharam, ataca você por meio delas, muito sutilmente, e muitas vezes sem que você o perceba. Devemos fechar essas brechas e curar esse nosso passado que ainda está aberto, que ainda não foi curado.

Oração:

Pedimos-Te, Senhor, para nos curar, e pôr a Tua mão sobre as nossas feridas, Senhor, feridas que são muitas em cada um de nós. Freqüentemente, Senhor, pensamos que podemos ajudar os outros, mas não pensamos que precisamos ser curados. Dá para nós a luz para poder achar as raízes, Senhor, as raízes que criam as nossas iras, esses medos, esses sentimentos de culpa, essas ansiedades. Ajude-nos, acima de tudo, a não ter medo de descobrir essas feridas e em seguida, Senhor, dá-nos a coragem de permitir que a Tua mão desça sobre nós para receber de Ti a cura que necessitamos muito. Nós temos certeza que Tu a darás para nós! Tu o falaste, Senhor, desde as primeiras páginas deste livro: "Eu o curarei." (Isaías 57:18) Tu, Senhor, nos curará e por isso te dizemos: Obrigado, Senhor!

Capítulo V

As Raízes das Nossas Feridas

"Bem-aventurados os pobres em espírito, porque deles é o Reino dos Céus!" (Mateus 5:3)

1. CURA INTERIOR OU PSÍQUICA

Os pobres nas beatitudes do Evangelho não são necessariamente aqueles que não têm dinheiro, aqueles que não são livres, quem não têm o que comer, mas são aqueles que sentem a necessidade de Deus nas suas vidas, que não se consideram auto-suficientes e, portanto, sentem que necessitam do Salvador na sua vida. Estes são os *"anawim"*.

Da mesma forma, os ricos de quem fala o Evangelho não são necessariamente aqueles que têm dinheiro, mas são as pessoas que confiam unicamente nas suas forças, nas suas posses, sentem-se auto-suficientes, que não sentem a necessidade de Deus em suas vidas.

Com base nesta beatitude, que abre a série das beatitudes, devemos observar que Jesus não fala: "deles será o Reino dos Céus", mas "deles é o Reino dos Céus". Portanto, os pobres começam agora a viver o Reino, motivo pelo qual o Reino não será o prêmio eterno, mas será a vida que viveremos em união com Ele. Este é o Reino que começamos a viver desde já.

2. A LIÇÃO DE GEDEÃO

Deus age muitas vezes escolhendo os menores. Baseando-nos propriamente nessa beatitude podemos entender o que aconteceu a Gedeão que, chamado pelo Senhor a livrar Israel da mão dos Madianitas, falou:

> *"Ó Senhor, respondeu Gedeão, com que livrarei eu Israel? Minha família é a última de Manassés, e eu sou o menor na casa de meu pai."* (*Juízes* 6:15)

Isso é como se Deus respondesse: Eu o escolhi porque você é pequeno; escolhi você porque, mesmo sendo forte e corajoso, sabe se deixar nas minhas mãos.

Portanto, se refletirmos um pouco sobre como Deus age, descobrimos que muitas vezes age escolhendo os menores, aqueles que não querem muito, aqueles que sabem se entregar nas Suas mãos. Vejamos, por exemplo, o caso clássico de Moisés. Deus não escolhe Moisés quando era forte, quando, na sua valentia, podia até matar o egípcio, mas o escolhe quando já tinha oitenta anos! Tentemos refletir! Escolher um homem de oitenta anos para encarregá-lo de fazer sair o povo do Egito e guiá-lo por quarenta anos no deserto, naquela idade! Moisés falava a Deus: "Ah, Senhor! Eu não tenho o dom da palavra; nunca o tive, nem mesmo depois que falastes ao vosso servo; tenho a boca e a língua pesadas"... (*Êxodo* 4:10-13) Provavelmente balbuciava (não sabemos se essa imagem era simbólica ou realmente balbuciava), mas resta o fato que quando se apresentava ao Faraó não era ele a falar, mas Aarão. Portanto, o Senhor falava com Moisés e depois era Aarão que falava com o Faraó. Provavelmente isso faz considerar certa a balbúcie de Moisés. Mas o interessante é que quando Moisés declara não estar à altura do que o Senhor lhe confiou, este Lhe responde: "Não tens Aarão, teu irmão, o levita?" (*Êxodo* 4:14)

Aarão tinha oitenta e três anos: Uma bela ajuda!

É assim que Deus age: age muitas vezes através de instrumentos pequenos. Como escolheu Davi (*1Samuel* 16:11-12), um garoto, para o encarregar de matar Golias; e Davi consegue matar Golias com uma pequena pedra! (*1Samuel* 17:49). Deus vence a guerra com uma pequena pedra! Deus escolhe Gedeão. No Livro dos *Juízes*, onde se fala de Gedeão, fala-se que quando ele montou um exército de trinta mil homens Deus falou: "Não, Não, Gedeão! Vocês são muitos mais do que o necessário; se vos mando a vencer a guerra acharam de tê-la vencido sozinhos. Vê se diminuis o teu exército!" (*Juízes* 7:2)

Em seguida, Gedeão fala às tropas: "Aqueles que têm medo voltem para casa." (*Juízes* 7:3)

Muitos voltaram para suas casas; restaram cerca de três mil pessoas. Com três mil pessoas não se vence uma guerra! Mas Deus fala ainda par Gedeão:

> *"Ainda há gente demais."* (*Juízes* 7:4)

e continua:

> *"Faze-os descer às águas. Porás à parte todos aqueles que lambcrem a água com a língua, como faz o cão, e manda para casa aqueles que se puserem de joelhos para beber."* (*Juízes* 7:5-6)

Restaram trezentos! Agora vocês vencerão a guerra porque sou Eu a vencer, não é tu, Gedeão. (*Juízes* 7:7)

É assim que Deus age continuamente nesta nossa história da salvação. Nós o sabemos, não? Quantas vezes o Senhor venceu uma guerra através de uma mulher! Normalmente o general de um exército é um homem, mas Ele vence a guerra através de Judite, de Ester, de Débora, portanto Deus age com a parte dita fraca. Para não falar de quando Jesus escolhe os apóstolos; que tipo de homens escolheu! Não escolheu o filho do sumo-sacerdote ou de alguém importante! Escolheu aquelas pessoas que para os olhos do mundo eram muito simples: Pedro, que o renega. Pedro nem sempre foi fiel! Mas Jesus o põe como "cabeça!". Hoje, se um sacerdote erra, nós o descartamos imediatamente... Deus o escolhe como "cabeça da Igreja!" Mas veja bem como age o Senhor!

Digo isso em particular para os sacerdotes porque nós, como Gedeão e como Moisés, fomos escolhidos; porém fomos escolhidos não porque somos capazes, mas porque somos incapazes, porque somos pequenos.

Assim, através de nosso ser pequeno, o Senhor pode mostrar que Ele age na Igreja. Lembremos daquela vez em que Napoleão estava na frente de Pio VII e com todo o seu orgulho lhe disse: "Eu destruirei a Igreja!" Ao que o Papa respondeu: "Não conseguimos destruí-la, nós, não a destruirá você!"

Portanto, o Senhor quer que a divindade da Igreja se revele precisamente, mostrando que quem a guia são homens fracos, e somente Ele vai além dos limites humanos e faz caminhar a sua Igreja. Mas o Senhor escolheu os sacerdotes para funções muito grandes. O rol de Gedeão era aquele de vencer os Madianitas, que destruíam tudo aquilo que os Judeus semeavam; portanto eram verdadeiramente uma peste para eles.

Mas o Senhor escolheu os ministros da sua Igreja para um rol ainda maior: não para vencer uma guerra, mas para vencer "a guerra" que o diabo faz contra seu povo.

3. DESENCORAJAMENTO

Certamente, muitas vezes vendo a situação na nossa frente nos desencorajamos como tinha se desencorajado Gedeão tão logo viu o anjo que lhe falava:

"O Senhor está contigo".

Gedeão respondeu:

"Ah, meu senhor, se o Senhor está conosco, por que nos vieram todos esses males? Onde estão aqueles prodígios que nos contaram nossos pais, dizendo: Não nos fez o Senhor verdadeiramente sair do Egito? Agora o Senhor abandonou-nos e entregou-nos nas mãos dos madianitas." (*Juízes* 6:12-13)

Muitas vezes nós mesmos nos desencorajamos vendo a nosso redor como a família é continuamente destruída: tantas separações, tantas anulações, tantos divórcios. É próprio desta família ser objeto de tantas análises: alguns especialistas em sociologia haviam predito que para o ano dois mil não existiria mais a família. Mas, como pode ser constatado, esta predição era exagerada.

A família existe ainda, existirá no futuro, mas é inegável que estes são tempos de desencorajamento ao se ver nossos jovens drogados, alcoolizados, descrentes, ao se constatar quantas pessoas não freqüentam a Igreja! Há mais que os Madianitas, há mais que o campo de batalha de Gedeão! Nós estamos em um campo de batalha mais sério ainda! Mas o Senhor nos escolheu não porque somos capazes. A única coisa que temos de fazer é nos abandonar nas mãos do Espírito Santo e deixar a Ele a possibilidade de nos guiar.

"Sou eu que ganharei a guerra", falava Deus a Gedeão. "Sou eu que vencerei, não vocês. Vós deveis simplesmente falar o vosso sim".

Muitas vezes também nós, na caminhada da fé, estragamos tudo: muitas vezes organizamos muitas coisas, muitas coisas bonitas! Organizamos tudo, tiramos do Senhor a carta para que nela escrevamos o que queremos e, depois, pedimos para Ele assinar: Senhor, bendiga-me, bendiga as minhas atividades.

Bendiga tudo o que eu organizei: fiz isso pelo Senhor, bendiga tudo aquilo que estou fazendo. Portanto, põe a Tua assinatura, Senhor!

Não deve ser assim! Ao contrário, temos que dar ao Senhor um papel em branco com a nossa assinatura, para deixar a Ele a possibilidade de escrever aquilo que Ele quer.

Somos chamados a exercer o contínuo discernimento para ver o que o Senhor quer de nós. Não sou eu que faço as coisas para Deus, mas é Deus que faz as coisas usando-me como um instrumento, é Ele que age, não sou eu que devo agir.

Esta é a lição que aprendemos da leitura de Gedeão. Gedeão montou um grande exército? "Não, não é assim!" falou o Senhor. "Mas eu fiz pelo Senhor..." "Sei que fez por mim, mas manda-os para casa porque tenho um outro plano, um outro projeto".

Muitas vezes nós não temos o tempo de rezar, de discernir o que Deus quer de nós, o que espera de nós, para podermos conhecer o seu projeto e nos colocar simplesmente em suas mãos, para nos abandonar nEle e nos deixar usar como Ele quer.

Contagiemo-nos com as breves palavras do Evangelho de *Mateus* em que encontramos Jesus que fala, quase por reação, ao jovem rico que não aceita segui-lO. Aquele ao qual o Senhor tinha falado para escolhê-lo como um dos apóstolos, assim como havia falado a Mateus, Pedro e André.

A Mateus disse:

> *"Segue-me."* (*Mateus* 9:9)

e Mateus deixou tudo e o seguiu.
A Pedro e a André:

> *Vinde após mim e vos farei pescadores de homens. Na mesma hora abandonaram suas redes e o seguiram."* (*Mateus* 4:19-20)

A mesma chamada Jesus faz para este jovem:

"Se queres ser perfeito, vai, vende teus bens, dá-os aos pobres e terás um tesouro no céu. Depois, vem e segue-me!" (*Mateus* 19:21)

Portanto, este era um apóstolo *"in fieri"* (com direito em vir a ser): Jesus o tinha escolhido como um dos apóstolos, mas o jovem não aceita, não tem a coragem de deixar tudo. Neste ponto vejamos a reação de Jesus:

"Em verdade vos declaro: é difícil para um rico entrar no Reino dos céus!" (*Mateus* 19:23)

Isso não quer dizer que dificilmente aqueles que têm muito dinheiro entrarão no Reino. Também Zaqueu tinha muito dinheiro, tanto de poder restituir o quádruplo do que tinha roubado (*Lucas* 19:8); portanto ele tinha dinheiro! Também Mateus tinha bastante dinheiro! De fato, ele sendo publicano certamente aproveitou para enriquecer, todavia deixaram tudo e seguiram Jesus; entraram no Reino. O rico para Jesus não é aquele que tem dinheiro, mas aquele que é muito apegado ao dinheiro. Rico pode ser aquele que é apegado a qualquer coisa que não seja Deus.

Eu posso ser rico porque me sinto auto-suficiente; sou culto, sei fazer o meu trabalho, tenho experiência, sei rezar para a minha vida de fé, tenho toda a instrução, capacidade, os talentos necessários, e acima de tudo tenho carismas, portanto, se não falo com palavras, os fatos os dizem; caminho sem sentir a necessidade da intimidade com o Senhor, porque a este ponto sou auto-suficiente. Este são os ricos; podemos ser ricos também nós, sacerdotes, também nós, membros ou animadores de grupos de oração, os ricos que "não entraram no Reino dos Céus", que não gozaram da intimidade com o Senhor.

Os apóstolos falaram:

"Quem poderá então salvar-se?" (*Mateus* 19:25)

mas não é o que hoje dizemos?

Bem, Senhor, diante dessa realidade eu, conhecedor dos meus limites, da minha fraqueza, também falo: Mas quem poderá se salvar? E esta é a resposta que o Senhor dá a cada um de nós:

"Aos homens isto é impossível, mas a Deus tudo é possível." (*Mateus* 19:26)

A Deus tudo é possível! Sim, também o mudar-me, também o me converter, também o vender tudo o que possuo, portanto não me sentir mais auto-suficiente; também o não me apegar mais àquilo que sou; àquilo que eu tenho. Posso achar que isso é difícil, mas para Deus tudo é possível. Portanto, pedimos para o Espírito Santo, agora, que venha novamente sobre cada um de nós; este Espírito que está em nós, em todos nós e que algumas vezes impedimos de agir.

Oração:

Senhor, queremos nos abrir para Ti. Hoje queremos oferecer para Ti, Senhor, tudo que temos, para depois recebê-lo, recebê-lo de volta, mas a Teu modo, não a nosso modo. Oferecemo-Te a nossa caminhada, a nossa vocação, a chamada; pomos nas Tuas mãos, Senhor, a luta contra o nosso pecado. Quantas vezes falamos: "É impossível nos separarmos dele", mas para Ti nada é impossível, tudo é possível em Ti.

Pomos nas Tuas mãos, Senhor, os nossos carismas e se algum carisma dado por Ti está ficando nosso, nós, hoje, Senhor, o devolvemos para Ti, Senhor. Restituímos a Ti, Senhor a nossa família, o nosso grupo de oração, a comunida-

de, com todas as atividades que desempenhamos; pomos nas Tuas mãos todo o nosso trabalho, e mais, Senhor, a Ti pedimos que nos dê um espírito de oração para poder discernir de forma clara qual é o Teu Projeto. Separa-nos, Senhor, de tudo que é nosso, mas que não necessariamente é Teu. Senhor, todos os nossos projetos, todos os nossos planos, toda a nossa organização, tudo, hoje, queremos pôr de novo nas Tuas mãos. Não é fácil, Senhor! Quem sabe como se sentia Gedeão vendo que todo o seu exército se dizimava porque toda aquela gente voltava para casa. Quem sabe como se sentia?! Mas venceu a guerra por ter Te obedecido. Dá para nós, Senhor, este espírito de obediência com o Teu projeto; ajuda-nos, Senhor, a viver este projeto, a saber falar "sim" para Ti em tudo. A saber falar, Senhor, o que Tu falaste a respeito do Pai: "Pois desci do céu não para fazer a minha vontade, mas a vontade daquele que me enviou." (João 6:38)

Entregamos esta oração nas mãos de Maria, Mãe nossa, falamos para Ela: "Ave-Maria, Cheia de graça... Amém."

4. CURA FÍSICA

Muitas vezes vemos o Cristo que cura fisicamente e isso é inegável: basta pensar que 25% do Evangelho é constituído de parábolas de curas físicas operadas por Jesus. Portanto, trata-se de alguma coisa que não podemos esquecer, se não queremos eliminar do Novo Testamento um quarto dos Evangelhos. De fato, temos que dar verdadeiramente importância às curas operadas por Jesus.

E também se neste livro discuto mais a fundo a cura espiritual e interior, isso não significa que a cura física seja de menor importância.

5. CURA ESPIRITUAL

Em *Mateus* no capítulo 11 lemos:

> *"Vinde a mim vós todos que estais aflitos sob o fardo, e eu vos aliviarei. Tomai meu jugo sobre vós e recebei minha doutrina, porque eu sou manso e humilde de coração e achareis o repouso para as vossas almas. Porque meu jugo é suave e meu peso é leve."* (*Mateus* 11:28-30)

Jesus não veio somente para nos curar o corpo, mas também a alma. De fato Ele fala: "Acharam repouso para as vossas almas. Vinde a mim, vós que estais aflitos sob o fardo" (desencorajados, repletos de medos e de raivas) "Vinde a mim e Eu vos aliviarei".

Se queremos achar uma palavra maravilhosa, na qual achamos Jesus que executa um processo de cura espiritual, esta é, com certeza, o diálogo de Jesus com a Samaritana. Aqui, verdadeiramente temos um diálogo com o qual Jesus toca, com muita delicadeza, as feridas dessa mulher para curá-la aos poucos (*João* 4).

Bem, temos visto até agora em que consiste essa cura interior e temos tocado com a mão a nossa realidade. Em seguida começamos a ver como essa realidade poderia ter raízes até quando éramos pequenos, ou seja, no passado.

6. AS RAÍZES DAS NOSSAS FERIDAS

Com esse propósito lembro do que me aconteceu durante um seminário de cura na República Tcheca. Estavam presentes leigos, freiras, padres e percebi, durantes os diálogos e colóquios, que quase todos, mas sobretudo os religiosos, tinham uma grande raiva contra os próprios superiores. Os padres falavam mal dos Bispos (que eram Bispos diversos). Mas o que estava acontecendo? Todos os Bispos são assim aqui?, perguntei-me. Também as freiras falavam mal das suas superioras. Então pensei: "Aqui existe alguma coisa que não está certa!" E reuni em subgrupos os padres, os religiosos, as religiosas e, indo mais a fundo, descobrimos que tinham dentro deles uma grande raiva contra o passado do regime comunista. Eles se sentiam ainda esmagados por esse regime e essa sensação praticamente provocava uma raiva contra a autoridade. Nesse ponto da análise, entenderam que a raiva que estavam vivendo não era contra os próprios superiores ou Bispos; tratava-se de um processo de "transferência". Na pratica, o que existia neles contra o regime foi transferido contra qualquer tipo de autoridade. Assim, em vez de sugerir a eles contatos mais tranqüilos e serenos com Bispos e superiores, foi necessário curar aquela raiva deles contra o regime. Fizemos uma pequena celebração, uma paraliturgia, durante a qual eles perdoaram o regime. No final falei de uma diferença entre o perdoar e o ser curado da ferida recebida, mas que era necessário começar do perdoar. Perdoando o regime, poderiam mais à frente melhorar os seus contatos com os seus superiores.

Uma outra vez, lembro, estava em um retiro para freiras e havia uma delas bastante jovem que estava ali somente por obrigação, não tinha nenhuma intenção de participar do retiro. E de fato trazia também as fitas de músicas, mas não religiosas, não carismáticas! Assim, no tempo livre, escutava música! Bem, certa vez veio até mim durante o retiro e me confessou ter uma grande raiva, um verdadeiro ódio contra sua superiora. Pensei: "Bem, vejamos o porquê de toda essa raiva". E ela começou a explicar que a superiora não dava permissão para isto, não dava permissão para aquilo etc. Mas eu via que não existia proporção entre sua raiva e os pedidos negados. De fato muitas vezes percebe-se que uma reação, presente, tem uma raiz no passado, que existe uma desproporcionalidade entre a sua raiva, o seu medo, a sua ânsia e aquilo que se considera seja a causa.

Assim, falei para a freira: "Vá e escreva toda a grande raiva que você tem, que você teve quando pequena, e tudo o que você lembrar que lhe gera raiva". E ela gastou realmente perto de meio dia para tentar recordar as grandes raivas que teve e, no final, veio com cerca de quinze episódios vividos no curso da sua vida. Alguns deles eram muito graves. Por exemplo, uma vez, quando ainda não era freira, foi violentada no mar; esta era uma das feridas muito grandes. Em seguida, começamos, pouco a pouco, a pôr o dedo sobre cada ferida, entrando em detalhes, pedindo ao Senhor para intervir sobre aquele momento da vida. Vocês sabem que o Senhor não tem passado, mas somente o presente, porque tudo que aconteceu no passado é para Ele ainda presente. Assim, pedindo para o Senhor pôr a mão sobre essa ferida, perdoando as pessoas que tinham ferido aquela freira, passamos adiante; assim, mesmo com um pouco de sofrimento, estávamos avançando.

Chegamos a um certo fato em que achamos que a raiva parecia insignificante: a tal freira teve um guia espiritual e uma vez devendo encontrá-lo com hora marcada, fazendo uma viagem de cerca de meia hora (em Malta, em três quartos de hora é possível chegar em qualquer lugar, não temos grandes distâncias, mas para ela meia hora tinha valor), ao chegar viu que muitas outras pessoas tinham encontro com o mesmo guia espiritual, antes dela.

Porém, quando chegou a sua vez, não havia mais tempo e teve de voltar sem poder falar com ele. Nessa ocasião foi gerada uma grande raiva, e, indo mais a fundo, perguntei: por que toda aquela raiva? Era possível ver o problema da afetividade. Mas, quando tocamos nessa ferida, a freira teve uma crise histérica. Podia-se até pensar que a freira estivesse possuída pelo demônio! Porque começou a rolar como uma pessoa possuída, no chão e, após um pouco de tempo, no seu peito apareceram manchas ou pequenas bolhas (isso acontece quando a crise se somatiza, porque é em presença de uma grande tensão nervosa que o corpo sofre).

Existe energia negativa em nós, assim como existe energia positiva que nos move para o entusiasmo, a necessidade de fazer o bem para os outros, o desejo de organizar, de fazer as coisas bem feitas: enfim, é a energia positiva que nos faz agir. Mas existe também a energia negativa que praticamente nos mata aos poucos, nos desencoraja, nos deprime: é essa energia negativa que o Senhor quer curar!

Devemos deixar que o Senhor toque as feridas do nosso passado começando precisamente no momento da nossa concepção: essa é parte da Cristoterapia.

A tal propósito, certa vez uma mulher perguntou ao filósofo grego Aristóteles: "Quando devo começar a formação do meu menino?" Ele questionou: "Quantos anos tem o seu menino?" A resposta foi: "Cinco anos". E Aristóteles respondeu: "Vá depressa e comece agora, porque você está atrasada cinco anos". Hoje falamos: *Cinco anos e nove meses*. Porque não somente o corpo, mas a sua psique começa a ser formada desde o primeiro momento da concepção. Achamos, por exemplo, várias pessoas com raivas e com medos, cujas raízes são do momento da concepção, por não ter sido este um momento envolto de amor, mas cheio somente de paixão. Hoje conhecemos isso e tocamos com a mão continuamente.

Quantas crianças nascem hoje que foram concebidas em uma atmosfera diferente do amor, somente na atmosfera de pura paixão! E tudo isso pode deixar marcas, pode deixar na alma das pessoas manchas que continuam a influir sobre elas, também no seu caráter, uma vez adultas. Nos meses da gravidez, que são assim importantes, nesses meses no ventre da mãe, a criança já absorve medos, raivas, ansiedades. A mãe não passa somente a comida para o filho no seu ventre, mas transfere para ele também todos os seus medos, todas as suas ansiedades. Certamente uma vez que a criança nasça, os medos, os traumas vividos quando em gestação afloram. Mas algumas vezes ele recebe menos amor, e, assim, praticamente a energia negativa sobressai.

Todo o passado pode influenciar o nosso presente. Para dar somente alguns exemplos: a mesma experiência do nascimento! Especialmente se, no momento do nascimento, o pai ou a mãe não aceitam a sexualidade da criança: é o caso do pai que quer um menino e nasce uma menina. Nesse momento o neonato não se sente aceito. "Mas como pode influir sobre o neonato tudo isso?" A maioria dos psicólogos afirma que muitas pessoas não conseguem aceitar a sua identidade sexual, precisamente por alguns fatos que aconteceram no momento do seu nascimento, quando o pai ou a mãe não aceitou o sexo do filho. Nesse momento sente-se rejeitado, sente-se descartado.

Lembro de uma mulher que me procurou muito preocupada porque a filha de aproximadamente oito anos, que devia fazer a Primeira Comunhão, não queria de forma alguma vestir a saia: queria usar calça. A mãe não achava certo uma menina usar calça na sua Primeira Comunhão quando as outras meninas vestiriam o vestido branco... Enfim, para essa mãe era uma tragédia! Perguntou-me o que deveria fazer. Eu disse: "Não sei o que você tem que fazer! Gostaria de perguntar se quando ela nasceu foi aceita como menina ou não?" Ela me disse: "Não! O pai nunca a aceitou como menina: queria um menino e provavelmente ela sabia desse desejo porque o pai falou sobre isso uma vez em sua presença, alguma indiscrição escapou". Respondi: "Aí está o porquê de a menina querer usar calça, e não o vestido: não aceitou, e ainda não aceita a sua identidade!"

Existem algumas coisas que influem muito sobre a vida de uma pessoa quando, durante ou mesmo antes do nascimento (porque hoje se conhece antes do nascimento se é um menino ou uma menina), existe essa recusa em aceitar o sexo da criança. São incidentes que deixam uma grande ferida na pessoa.

O abuso sexual, por exemplo, é uma das coisas muito comuns hoje! Na minha experiência encontrei muitas vezes este fato entre as freiras. Nos retiros para freiras acontece muitas vezes de se saber que sofreram abusos quando meninas ou adolescentes; é uma coisa que elas têm escondido com precaução, sem contar para ninguém, e, conseqüentemente, nascem muitos problemas na vida da sua comunidade religiosa. Muitas vezes pensamos que a vida comunitária, assim como a familiar, deva ser reformulada por meio da disciplina, de regras, de direcionamentos, quando pode ser reformulada simplesmente olhando não a sua estrutura, mas as pessoas que a compõem. E, indo mais a fundo, curando essas feridas internas, de modo que as pessoas, uma vez curadas, gerem uma vida comunitária mais serena e tranqüila.

Capítulo VI

Cura Interior

1. PONTOS-GUIA NA CURA INTERIOR

Para a nossa cura interior devemos ter presentes alguns pontos-guia que acho muito importantes.

O perdão

O perdão ou a falta de perdão está na base de cada cura interior.

Muitas vezes, a cura de uma raiva, de um medo, de uma ansiedade, de sentimentos de solidão, de tristeza, e um sentimento de culpa e tudo que constitui o nosso desequilíbrio emocional e psíquico dependem de perdão.

a) *Perdoar a mim mesmo.* É a coisa mais difícil. É mais fácil perdoar os outros que a nós mesmos. Perdoar a mim mesmo pelas minhas faltas, pelos meus limites, pelos pecados que cometo e por tantas outras coisas. Tenho de aceitar os meus limites, a minha fraqueza – aceitar assim como é, mesmo que não aprove. Quando digo aceitar não quer dizer não fazer nada para melhorar a mim mesmo; isso é uma estagnação que não podemos aprovar. Mas temos de aceitar a realidade das coisas; e tentar melhorar a nós mesmos, aceitar a realidade das coisas como fez São Paulo: "Sou aquele que sou, vejo o bem, aprovo-o e me acho a fazer o mal." (*Romanos* 7:15-23)

Este sou eu. Certamente me esforço para ir em frente, mas a realidade é esta. Portanto, muitas vezes o Senhor nos pede o perdão como base para uma cura. E se nós não conseguimos nos perdoar, não podemos receber aquilo que o Senhor quer nos dar, porque a falta de perdão bloqueia a graça.

Atenção! Estou me referindo a uma coisa muito importante e digo isso, antes de tudo, para nós, sacerdotes, e em seguida para aqueles que nós devemos curar, porque estão na nossa pastoral:

- Deus nos ama não porque somos santos, e o meu pecado não diminui o amor que Deus tem por mim!
- Deus não ama mais o santo que o pecador!
- Deus ama o homem tanto quanto um Deus pode amar a sua criatura!
- É o homem que recebe ou recusa este amor!

Peguemos um exemplo: Se estamos em um quarto, e fora existe sol, estando no interior do quarto, nós não o vemos. Temos luz elétrica, mas toda a estrutura do quarto está bloqueando a entrada do sol para nos oferecer luz e calor. Não é que o sol se retirou, o sol continua lá no seu lugar. Se destruo essa estrutura, automaticamente o sol entra, ilumina-me e me aquece.

Quando o filho pródigo sai da casa do pai, o amor do pai permanece igual para esse filho; de fato, o pai está sempre lá para esperar a sua volta.

O perdão por parte do pai já está concedido, mas não pode chegar até o filho porque ele ainda não disse: "Levantar-me-ei e irei a meu pai." (*Lucas* 15:18) Portanto, o bloqueio é do lado do homem e não do lado de Deus. Quando eu falo: "Senhor me perdoa!", neste momento estou demolindo o bloqueio, mas Ele já me perdoou, Ele nunca se transformou em inimigo, Ele nunca me trata como um que não é mais Seu filho: sou filho como pecador e como santo. Portanto, o receber o amor depende de eu me abrir ao amor, àquele amor que já está presente, como aquele sol que já está presente. Não é preciso destruir a estrutura e chamar o sol. O sol já está presente, Deus já está presente, e já perdoou o meu pecado antes de eu pedir perdão pelo pecado.

Deus me ama! O que é este Seu grande amor! Em muitos casos a falta de perdão é que bloqueia este amor que Deus tem por mim, que quer dar a mim. Perdoar a mim mesmo significa amar a mim mesmo, amar-me como Deus me ama. Portanto, existe a abertura e existe a verdadeira cura.

b) *Perdoar a Deus*. Esta expressão, perdoar a Deus, deve ser bem entendida: Ele não tem necessidade de ser perdoado; não foi Deus que fez alguma coisa que necessita de perdão. Olhando para mim, de pequeno que sou, diante da dimensão, e vendo Deus no ato de permitir que eu seja maltratado ou não me escutando, de deixar-me sozinho neste sofrimento... é gerada, em mim, talvez, uma raiva contra Deus, uma grande raiva. Nesse caso é bom ir diante de Deus e falar-Lhe: "Está bem, Senhor, eu não Te entendo, não Te entendo! Somente sei que estou ferido. Eu quero Te perdoar!" Da nossa parte e não por Sua parte, existe essa necessidade de perdoar Deus, como de perdoar os outros e a nós mesmos.

A cura como processo gradual

Um outro ponto de vista que quero colocar é que a cura interior é um processo, um caminho progressivo. Devemos ter muita atenção para não mostrar a cura como se fosse uma coisa mágica, instantânea. O Senhor pode também nos curar imediatamente porque o Senhor não tem critérios preestabelecidos. Pode fazê-lo, mas, normalmente, "este me abrir à cura" acontece pouco a pouco. Mais adiante esclarecerei melhor o que acontece quando fazemos uma prece de cura, seja física ou interior.

Normalmente defino a cura como um jogo de tênis-de-mesa com o Senhor. No jogo do tênis-de-mesa em um primeiro momento eu tenho a bolinha, não? Passo-a para as mãos do Senhor e o Senhor a põe novamente nas minhas mãos.

Por falar nisso, apresento um exemplo para que possamos entender melhor em que sentido o Senhor age em um processo de cura interior.

Uma mãe que dirigia um grupo de oração (portanto era uma mãe bastante empenhada em sua caminhada cristã, lendo a *Bíblia* e orando todos os dias) travava uma grande batalha contra um dos filhos, o mais velho. Tinha dois filhos: o maior com quase oito anos e uma menina. Mas ela sentia uma grande aversão pelo filho. Era consciente disso, mas não conseguia entender o porquê e continuamente se perguntava: "Mas, por quê? Porque quando a menina faz algo errado, tudo bem!, mas quando é o menino, fico imediatamente furiosa?"

Certa vez pegou algo, talvez um copo e atirou contra o menino. Infelizmente acabou ferindo a cabeça do garoto. Vendo o sangue, o pânico tomou conta dela. Após ter feito tudo o que tinha de fazer para tratá-lo, veio a mim toda cheia de sentimentos de culpa. "Quero entender por que sinto essa raiva contra meu filho".

Tentamos ver se havia alguma coisa errada na infância. Quando pequena, dormia na casa da avó, que era idosa, e necessitava de alguém que dormisse com ela durante a noite. Sua mãe, é lógico, por generosidade, mandava a filha dormir com a avó.

Essa experiência, vivida na infância, influiu a tal ponto na vida dela que a fazia se sentir estranha na sua própria casa. Ela me falou: "Abrir uma gaveta na casa da minha avó era mais fácil que abrir a gaveta na minha casa. Eu me sentia melhor na casa da minha avó que na casa da minha mãe". No entanto, isso criou no seu inconsciente uma grande raiva contra a mãe.

Nunca falou com sua mãe da raiva que nutria por ela; provavelmente nem sentia que aquela situação se transformava em raiva. Passamos, então, a entender que, no seu filho, ela via a si mesma quando tinha a mesma idade. Raiva que ela tinha contra si mesma por nunca ter falado e pela timidez que a impediu de falar isso para qualquer pessoa. Aquela criança ainda gritava dentro dela, chorava nela. Isso acontece com todo mundo, mesmo quando adultos, já pais ou até avós; e também conosco, sacerdotes: existe o menino dentro de nós que chora, que chora por aquilo que não recebeu na infância; existe o adolescente em nós que chora por aquilo que não teve na adolescência.

Muitas vezes nos comportamos como meninos ou adolescente sem perceber por que o menino está ainda em nós, o adolescente que está em nós, chora, chora por uma ferida criada no passado.

Percebemos que essa mãe tinha sentimento de culpa por ter raiva contra a mãe dela. Sendo assim, rezamos juntos para entender a vontade do Senhor. A bolinha do tênis-de-mesa que antes estava nas mãos de Deus, estava agora nas mãos da mãe, pois Deus tinha dado uma luz para ela.

Essa mãe, nessa altura, tinha de falar: "Senhor, o que Tu queres que eu faça?" Isso é o importante na cura (e refiro-me também à cura física), pois não devemos somente dizer: "Senhor, dá a cura para mim", mas devemos falar também: "Senhor, o que Tu queres que eu faça?" Durante um processo de cura não devemos ser passivos. Deus me dá, mas depois Deus pede, porque a cura deve ser completa e somente o será com a minha colaboração. Se eu não colaboro com Deus, a minha cura instantânea pode se transformar em fumaça em poucos dias.

Essa mulher, no entanto, pediu: "Senhor, o que Tu queres que eu faça?" Abrindo a *Bíblia,* após termos rezado juntos, a resposta foi muito clara: a mulher tinha de ir até sua mãe, abrir a sua alma e pedir perdão por esconder por todo esse tempo a sua raiva contra ela.

Atenção! O Senhor não pede isso para todos, ainda que aconteçam casos similares. Existem casos em que o Senhor não pede à pessoa para enfrentar a outra pessoa. Interessante!

Nos Estados Unidos na grande comunidade *"Word of life"* de Ann Arbor, um dos seus ensinamentos mais enfatizados era sobre a "restituição", um ensinamento com o qual eu sempre tinha lutado, porque, tendo essa comunidade uma grande difusão no plano mundial, inclusive através da imprensa, estava sendo seguido também sem propósito.

Qual era o ensinamento? Se eu, por exemplo, sinto uma grande raiva de você, nesse caso eu tenho o dever de restituir. O que significa restituir? Vir até você para lhe falar: "Eu tenho uma grande raiva de você". Esta é a restituição. Mas na prática esse ensinamento é dos pentecostais que não têm a confissão sacramental. Portanto devemos prestar muita atenção! Devemos muito aos protestantes no campo das orações de cura, mas temos de considerar de eles não têm todos os Sacramentos, e por isso muitos dos seus ensinamentos são incompletos.

Nós, católicos, resolvemos muitas coisas pelo Sacramento da Reconciliação. O Documento de Ratzinger sobre a salvação tinha e tem, como razão principal, colocar as curas no catolicismo. Não é um decreto para limitar as curas, mas para colocá-las num plano católico!

Devemos, então, elevar a um nível católico todas aquelas boas experiências. Por isso mesmo se no caso que contei, o Senhor dizia àquela mulher para "render-se", isto é, de ir até sua mãe e abrir-se com ela, isso Ele pediu "àquela" mulher, mas não necessariamente devemos tomar como critério válido para todos os casos. Algumas vezes ir até uma pessoa e dizer: "tenho muita raiva de você", é tirar de mim a ferida e transferir a ela.

Nem sempre é prudente restituir, nem sempre é um pedido de Deus. Neste caso o Senhor havia pedido a esta mulher; ela foi até sua mãe e então a "bola" agora passou para as mãos dela: sabia o que o Senhor lhe pedia. Vá até sua mãe e peça perdão. A mãe, obviamente, chora pois nunca pensaria que aquele acontecimento do passado pudesse criar tanto desconforto na filha, porque ela havia agido com a melhor das intenções.

A partir daquele momento a intimidade entre mãe e filha aumentou. A cura vem pouco a pouco. "Senhor, aquilo que Tu pediste eu fiz. Agora a bolinha está nas Tuas mãos, o que queres que eu ainda faça?" Ela orou novamente e o Senhor pediu para essa mulher (não necessariamente o pede para todos): "Conta o que aconteceu, para minha glória, no teu grupo de oração". Lendo um trecho da *Bíblia* era muito claro que o Senhor estava pedindo isso. Era muito difícil para ela, mas ela o fez: foi e dividiu a sua experiência com os irmãos e as irmãs do grupo falando da sua cura. Eu e ela pensamos que estava tudo acabado, mas não.

Após alguns dias o menino teve uma forte febre. A mãe não conseguia entender: "Mas, Senhor, eu fiz tudo que me mandou, e agora o menino tem febre? Qual é o sentido?"

Por oitos dias o menino ficou de cama com febre e por todos esses dias a mãe o velou. Entendemos tudo depois, entendemos o porquê de tudo isso. Existia ainda a ferida no menino, a ferida de ter sido recusado por tantos anos; e agora tinha que preencher todo esse vazio com o amor. Portanto o Senhor permitia (ou, melhor dizendo, queria) essa doença para o menino para que a mãe pudesse estar junto dele e tratar, mais que da doença física, do seu vazio psíquico, daquela falta de amor. A mãe, que já tinha sido curada, dá para seu filho tanto amor que o cura.

Como vemos, temos aqui um processo de cura. A cura interior, normalmente é: "Senhor, o que você quer que eu faça?"

É como ir a um médico. O médico não o cura por magia; o médico descobre a doença e fala para você: "Agora tome estes antibióticos, e depois volte ao meu consultório, assim poderemos ver como a doença evoluiu, e poderemos prescrever outros remédios etc." Portanto, o médico guia o processo de cura.

Não podemos pensar, portanto, em ir a um padre e orar para uma pessoa e dizer: "Agora você está bem, está curado, todos os seus medos foram embora". Não! Este é somente o início de uma cura. O Senhor não tem critérios fixos para a cura, portanto Ele pode agir a seu modo, instantâneamente. E certamente Ele nos cura: vimos isso muitas vezes, mas não podemos pretender que faça conosco.

Normalmente a cura interior é um processo, é um jogo de tênis-de-mesa com o Senhor, é um obedecer-Lhe, pois sempre quer nos curar. Muitas vezes quando pedimos para o Senhor a cura dizemos: "Senhor, se Tu queres, me cura" Também Jesus falava para seu Pai: "Se Tu queres, me cura", mas devemos dizer: "Senhor, cura-me, mas como Tu queres, como Tu queres", porque Ele tem o seu modo de curar, e não o meu modo. Se tiver o braço esquerdo que dói, a única coisa que posso fazer é dizer: "Senhor, cura o meu braço esquerdo", e pode ser que Ele, em vez de curar o meu braço esquerdo, me dê paz, me ofereça uma intimidade com Ele. Dessa forma, Ele me curou, mas não como eu queria, Ele me curou a Seu modo.

Cada vez que pedimos uma cura Ele nos escuta, Ele sempre nos escuta, mas nem sempre nos dá aquilo que pedimos especificamente; dá-nos aquilo que é necessário para o nosso bem, para o nosso bem neste particular momento.

Portanto, agradeçamos a Deus, um Deus que nos cura até nos mínimos detalhes.

> *"Até os cabelos de vossa cabeça estão todos contados."* (*Mateus* 10:30)

Portanto, Ele não nos deixa sozinhos, mas é um Deus que tem a nossa cura até nos mínimos detalhes da nossa vida. Por isso, vamos espontâneamente até Ele pedir a cura.

2. CRITÉRIOS DE IDONEIDADE AO MINISTÉRIO DA CURA

De início quero lembrar de um texto da Escritura extraído do Evangelho de Lucas (*Lucas* 8:49) no qual é contado o milagre da ressurreição da filha de Jairo:

> *"Enquanto ainda falava, veio alguém e disse ao chefe da sinagoga: Tua filha acaba de morrer; não incomodes mais o Mestre. Mas Jesus o ouviu e disse a Jairo: Não temas; crê somente e ela será salva."* (*Lucas* 8:49-50)

Quando chegou a casa (e aqui eu quero chamar a atenção sobre este trecho):

> *"...não deixou ninguém entrar com ele, senão Pedro, Tiago, João, mais o pai e a mãe da menina."* (*Lucas* 8:51)

> *"Todos, entretanto, choravam e se lamentavam. Mas Jesus disse: Não choreis; a menina não morreu, mas dorme. Zombavam dele, pois sabiam bem que estava morta. Mas, segurando ele a mão dela, disse em alta voz: Menina, levanta-te! Voltou-lhe a vida e ela levantou-se imediatamente. Jesus mandou que lhe dessem de comer. Seus pais ficaram tomados de pasmo; Jesus ordenou-lhes que não contassem a pessoa alguma o que se tinha passado."* (*Lucas* 8:52-56)

Como podem ver, Jesus faz este milagre não deixando entrar ninguém com Ele a não ser os seus três prediletos, a mãe e o pai da menina. O que isto quer dizer? Cada cura acontece em uma atmosfera de amor. Se não tem amor, não tem cura. A cura acontece pelo amor que circunda aquela pessoa: Jesus faz passar o amor através daquelas pessoas que se transformam no canal do amor do Pai que, dessa forma, chega na pessoa que precisa ser curada. Portanto Jesus, para fazer o milagre, precisa de uma atmosfera em que nenhuma pessoa escarneça ou duvide, uma atmosfera em que todo mundo ama. E, olhe, não deixa entrar nem todos os apóstolos, mas somente os três mais íntimos junto a Ele e os familiares que, com certeza, não escarneciam, mas choravam e rezavam. E estes eram o pai e a mãe da menina.

Temos dois psiquiatras americanos, religiosos jesuítas, Matthew e Denis Linn, que têm promovido, mais que outros, o ministério da cura interior, assim, como Francis Mac Nutt tem promovido, entre os primeiros, o ministério da cura física, e o Doutor Kennet Mc All, inglês, nascido na China, o primeiro a promover o ministério da cura da árvore genealógica. Assim, obtiveram muito sucesso porque, sendo grandes psiquiatras, portanto aptos a olhar as coisas sob o aspecto científico, eram, ao mesmo tempo, sacerdotes e carismáticos.

Praticamente possuíam todos os elementos necessários para poderem ser verdadeiramente acreditados naquilo que propunham. Matthew e Denis Linn sempre sustentaram que é o amor que cura.

Daí a importância de que quando formamos um grupo de oração, pedindo uma oração para nós, encontrarmo-nos em uma atmosfera de amor. Às vezes acontece que, por exemplo, orando por uma pessoa em um grupo de oração esteja presente alguém que não ama essa pessoa, que não está transferindo amor para essa pessoa; esse alguém pode bloquear toda a oração. Aí está o porquê de alguém tendo o carisma da cura (e nós, sacerdotes, por exemplo, somos todos enviados para curar porque isto faz parte da nossa missão, do nosso sacerdócio) não ser chamado a rezar em todas as ocasiões. De fato, sendo ser humano, nós podemos nos achar em circunstâncias particulares de ressentimento contra uma pessoa que pede a cura ou a oração de cura. Se tenho um ressentimento, se tenho um conflito, naquele momento eu não sou chamado para rezar e não sou chamado para me unir ao grupo das pessoas que estão rezando; posso ser para elas um bloqueio. Também se, em outras circunstâncias, o Senhor me usa com instrumento, e existem, todavia, alguns momentos nos quais não sinto amor pela pessoa, nesse caso, o amor pode passar com muito mais dificuldade através de mim, como canal, para a pessoa que deve ser curada.

Essa é a conclusão desses dois psiquiatras, religiosos e sacerdotes. Sim, também psiquiatras, pois, no campo da cura, é preciso também de psiquiatria, porque, após tudo, quando rezamos para cura, especialmente a interior, não devemos esquecer o aspecto psicológico.

Existem animadores de grupo de oração, também sacerdotes, que são totalmente contra as ciências naturais, e isso não é certo, porque a ciência natural é também parte da providência divina. Deus, portanto, como deu para o homem muitas coisas: a comida, a bebida, e muitas outras mais, assim nos deu também a medicina, e também as ciências naturais.

Certamente devemos estar convencidos que nenhuma ciência natural é suficiente: isto sim! Mas quanto de bom pode ser extraído da ciência para ser utilizado. Existem imprudências que são cometidas também na Renovação Carismática da parte das pessoas que dizem: "Deve jogar no lixo os seus remédios; não deve ir mais ao psiquiatra, não deve ir mais ao psicólogo!" Não! Nós não devemos nunca assumir responsabilidades como essas, assim como falar para uma pessoa: "Você deve receber a Comunhão e não comer porque o Senhor pode mantê-lo de pé somente com a Comunhão". Certamente o Senhor pode fazer isso e, às vezes, o fez, mas quem sou eu para pretender que Ele o faça? O Senhor tem os Seus projetos e os executa sobre quem Ele quer, mas não somos nós a estabelecer esses critérios.

Devemos ser muitos prudentes, porque pode acontecer, às vezes, de não termos credibilidade no que estamos fazendo, especialmente na frente daqueles que são um tanto céticos sobre esta nossa missão.

Bem, voltando aos dois psiquiatras mencionados, eles dizem que são três as categorias de pessoas aptas, pelo menos no plano psicológico, para serem instrumentos de cura nas mãos do Senhor porque, obviamente, o Senhor não segue critérios preestabelecidos. Ele pode escolher quem quer, mas sabemos, como fala São Tomás, que a graça opera baseada na natureza, portanto não ignora a natureza, mas, ao contrário, apóia-se nela.

As categorias de pessoas mais aptas, nas mãos de Deus, para a cura são então:

- As pessoas íntimas.
- As pessoas que já passaram pela experiência do sofrimento para a cura.
- As pessoas ainda na luta, mas que estão no processo de cura.

Pessoas íntimas

Antes de tudo, segundo Matthew e Denis Linn, as pessoas que podem ser instrumentos mais aptos nas mãos do Senhor são as pessoas íntimas para quem se está pedindo a cura.

O que quer dizer pessoas íntimas? O marido para a esposa, a esposa para o marido; os noivos um pelo outro; os pais pelos filhos, os filhos pelos pais; os religiosos um pelo outro, a freira por outra freira, os amigos. Portanto pessoas entre as quais existe uma relação de intimidade, uma relação espiritual ou uma relação de sangue, porque nesse caso a pessoa pode estar mais aberta a ser um canal de amor para quem pede a oração. Deus, nesse caso, não encontra nenhum bloqueio para dar o amor à pessoa que precisa da cura. Podemos ver, normalmente quando se trata de cura interior, pessoas que se encontram vazias de amor. Medos e ressentimentos são sinais vazios de amor, portanto somos bloqueados no amar e no receber amor. Porque quem está bloqueado em receber amor é bloqueado também no dar amor. Dessa forma, uma pessoa que tem uma relação íntima de sangue ou espiritual com a outra pode ser um canal muito eficiente para fazer o amor passar. Por isso falamos muitas vezes ao casal: o marido que reza para a cura da esposa e vice-versa deve fazê-lo na força do Sacramento que os une. Muitas vezes o que acontece? Acontece de se ter um menino doente, e o pai ou a mãe vem até nós pedir para rezar por ele, mas pai e mãe não são capazes de ir eles mesmos perto da cama desse menino e rezar! A oração que os pais fazem pelo menino pode ser ainda mais forte que a oração que nós fazemos, mesmo sendo sacerdotes ou membros de um grupo de oração, porque aquela oração é parte da sua missão de pais. Pela mesma razão, as bênçãos que os pais dão aos filhos são muito fortes, como são muito fortes também as maldições que, infelizmente, alguns dão a seus filhos e que deixam brechas muito grandes para a entrada do inimigo. Quando existe uma intimidade com uma pessoa existe também uma autoridade espiritual sobre ela! Portanto, quando existe uma autoridade espiritual sobre uma pessoa, a bênção e a maldição podem ter um efeito muito forte. Um guia espiritual, por exemplo, que maldiga a pessoa que vem até ele é algo assustador! Porque ele tem uma autoridade espiritual sobre essa alma, mais que as outras pessoas. Como também a bênção, porque a bênção constitui praticamente um pedido para Deus encher de amor essa pessoa.

Assim, as pessoas que são íntimas do doente têm um grande poder. Ou, melhor, o poder pertence a Deus, mas o Senhor pode usar essas pessoas como instrumentos mais aptos que outros para rezar por esse doente. Afirmam os dois psiquiatras: devemos amar as pessoas que vêm até nós pedir orações! E se por alguma razão existe uma ferida porque ainda não conseguimos perdoar completamente, nesse caso é melhor não fazê-lo. Nesse caso, portanto, é bom não rezar para essa pessoa porque nesse momento não estamos totalmente abertos para ser um canal de amor para o carente.

Pessoas que já passaram pela experiência do sofrimento para a cura

Temos, em seguida, uma segunda categoria constituída por pessoas que já passaram pela experiência do sofrimento pelo qual estão rezando. Para exemplificar, temos o caso de uma jovem viúva, uma mulher muito jovem que voltando para casa achou seu marido em uma poça de sangue: ele tinha atirado em si mesmo. Ela precisava de tempo para curar essa ferida, para poder perdoar o marido.

Em tal situação, de fato, no subconsciente é criada uma raiva contra o suicida (o marido neste caso): "Por que você fez isso?" ...e contra Deus, a qual já falamos: "Por que Tu o permitiste? Por que Tu não o impediste?"

Para sua cura essa viúva precisou passar por diversas fases.

Fomos com ela ao lugar do suicídio do marido e celebramos uma Missa; a mulher pediu perdão para ele...; resumindo, fizemos tudo que tem de ser feito nesses casos especiais.

Mas essa viúva, uma vez curada, transformou-se em uma testemunha viva. Cada vez que tem um morto em uma casa, em uma família, ela tem uma missão, que a comunidade lhe confiou: de ir levar consolo, fazer uma oração para aquelas pessoas que estão na desolação. Ela o pode fazer melhor que os outros, melhor que qualquer um! A sua oração é ainda mais forte porque ela passou por essa experiência, portanto nessas circunstâncias ela é mais preparada que os outros para amá-las.

Saibam que muitas vezes nas nossas mãos também as coisas mais lindas podem se transformar em coisas mecânicas. Pegamos, como exemplo, a Missa para os sacerdotes: a coisa mais linda! Às vezes, ao contrário, pode acontecer a nós, sacerdotes, de celebrar a Missa sem saber o que estamos fazendo. Por quê? Porque entramos em uma rotina. Não deve ser assim, é preciso entender que devemos fazer de tudo para não cair na rotina, mas não é fácil, mesmo fazendo as coisas mais lindas.

Recentemente veio até mim uma pessoa que recebeu o ministério extraordinário da Eucaristia e me contou que não podia dormir a noite inteira pensando que, no dia seguinte, teria que distribuir a Comunhão! Nós, sacerdotes, ao invés, não estamos mais com insônia fazendo coisas maravilhosas, vendo milagres acontecerem nas nossas mãos todo dia! Devemos ser vigilantes para não cair nessa rotina.

Podemos ir e bater à porta de uma pessoa que perdeu o marido ou a esposa, mas, por rotina, pensando em nós mesmos: "este é um ministério da paróquia", entramos, às vezes sem amor, simplesmente para cumprir um dever! No entanto, uma mulher como aquela viúva, que passou por aquela horrível experiência, nunca irá dessa forma, somente por dever, ela já vai amando aquela família, levando um grande amor naquele momento particular.

O Senhor escolhe! É sempre muito importante que tenhamos isso em mente, primeiramente para nós, pessoalmente, e em seguida para os outros. Quando passamos por uma experiência dolorosa ou dramática, uma vez curados, o Senhor pode transformar a nossa experiência em um carisma. E a mesma coisa Ele pode fazer para qualquer um. Ele pode decidir se servir das pessoas mais simples ou humildes, confiando a elas preciosos carismas.

A respeito desta temática encontramos, por exemplo, Madalena, a prostituta da qual Jesus tinha expulsado os sete demônios e cujo pecado foi transformado pelo Senhor em um grande carisma de amor. (*Lucas* 8:2)

O Senhor transforma a sua sexualidade passional em intimidade com Ele e ela se transforma na mulher que esposa espiritualmente Jesus:

> "Maria!... Rabôni! (que quer dizer Mestre)." (*João* 20:16)

Olhem que intimidade! A sexualidade incontrolada de Maria Madalena é mudada em um carisma, foi transformada em um carisma.

Consideremos Pedro, que queria sempre ser o primeiro por sua presunção: "Mesmo que sejas para todos uma ocasião de queda, para mim jamais o serás" (*Mateus* 26:33); "Senhor, se és tu, manda-me ir sobre as águas até junto de ti!" (*Mateus* 14:28) E o Senhor prepara-o; não o põe de lado e nem sufoca aquele seu pecado, mas transforma-o em um carisma: "Sim, tu queres ser o primeiro, e tu serás o primeiro, mas no sofrimento, em dar a vida para mim". E, de fato, veja Pedro ser o primeiro: "Quero morrer como o Cristo, mas de cabeça para baixo!" Vejam: Jesus não sufoca aquele ímpeto, aquela carga que foi pecado e aquela carga se transforma em carisma. A carga de Pedro, o orgulho grande de Pedro, o Senhor transforma em uma outra carga, a dedicação! E assim de cada outro pecado.

A inveja! Se nós entregamos a inveja ao Senhor, Ele a muda no carisma do discernimento, porque a inveja é fixar com obsessão os outros, ver o que os outros têm e você não possui. E esta carga de entrar na vida dos outros, o Senhor a muda no carisma do discernimento. A obstinação, a teimosia das pessoas obstinadas, de "cabeça dura", esta carga o Senhor a transforma em perseverança. Existem pessoas que começam tudo e não concluem nada: iniciam em todas as espiritualidades, iniciam todas as "caminhadas" e não concluem nada. Têm cabeça dura! A teimosia, que pode se transformar em um grande pecado (*vide Hitler*), pode ser transformada em perseverança, se verdadeiramente mudada pelo Espírito em um carisma.

O Senhor tira o bom de cada coisa. Ele nos pega assim como somos, com o nosso caráter, com as nossas fraquezas e faz de nós coisas maravilhosas. Simplesmente se nos colocarmos em Suas mãos! Assim, também as nossas falhas, os nossos pecados, se nós os entregamos ao Senhor, o Senhor os transforma em carismas. Assim, podemos ter um coração particularmente aberto ao amor por aqueles tipos de pessoas que já passaram pelo mesmo tipo de falhas, podemos ajudá-las melhor, podemos direcioná-las no rumo certo, podendo com a ação, se não com as palavras, dizer a eles: "Também eu caí como você; também eu tive essa terrível experiência, mas o Senhor nos chamou para esta cura!"

Nós todos podemos nos comparar aos mendigos, e isto, vejam bem, vale também para nós, sacerdotes. Somos mendigos! Mas com uma vantagem: um mendigo vai visitar outro mendigo e fala: Olhe, amigo meu, eu sou como você. Mas eu achei um pedaço de pão: vem comigo! Porém, nós, sacerdotes, e todos aqueles que começaram uma séria caminhada de fé, somos pecadores como os outros, mas nós achamos o Salvador da nossa vida! E quando eu vou aos outros, não vou como uma pessoa muito rica. Não! Também eu faço parte dos *"anawim"*, os pobres do Evangelho! Com a diferença que eu tenho onde levá-lo: "Vamos para Jesus que nos cura, que nos dá comida!"

Esta, portanto, é a segunda categoria de pessoas mais aptas para a cura, de pessoas que podem ser, nas mãos do Senhor, instrumentos mais aptos para a cura dos outros.

Pessoas ainda na luta, mas que estão no processo de cura

Temos enfim a terceira categoria de pessoas "mais aptas, nas mãos do Senhor, para pedir a cura". Sempre segundo os irmãos Linn, esta categoria é formada por pessoas que ainda estão lutando, mas estão em processo de cura.

Isto é o importante: estar em cura, estar em um processo de cura. Não importa se eu sou doente como você, a diferença está no fato de eu estar em processo de cura. Imaginemos, por exemplo, se fizéssemos um grupo de oração composto somente de pessoas deprimidas. Imaginemos! Todos começariam a transferir a sua depressão uns para os outros! Ao invés de se curarem, sairiam da reunião mais deprimidos que antes! Porque, para ajudar você, não é suficiente que eu seja igual a você. Para curar você de dor de cabeça não é necessário que eu tenha também dor de cabeça; se eu mesmo não achei a terapia certa, é inútil que eu venha para ajudá-lo, mas se ainda tenho dor de cabeça e achei a terapia, nesse caso posso ir até você e lhe dizer: "Olhe, esta é a terapia!"

Assim falam os irmãos Linn: se nós estamos em um processo de cura podemos ter maior compaixão pelos outros que estão sofrendo, podendo apresentar para eles o Cristo que nos está curando: "Eu digo que cura você também". Aqui os dois psiquiatras tomam o exemplo dos mendicantes: "Somos os dois sofredores, somos todos os dois pecadores, mas eu achei Jesus, vamos os dois até Ele: que Ele nos salva, que Ele nos cura!"

3. A FINALIDADE DA CURA: A EVANGELIZAÇÃO

É importante ter bem em mente que cada cura tem uma finalidade muito precisa: a evangelização. Nós não devemos e não podemos separar a evangelização da cura!

Quero chamar atenção para um outro texto, desta vez extraído do capítulo 5 do Evangelho de *João*, em que se fala da cura do enfermo na piscina de Betesda. É interessante o detalhe que quero destacar, porque nos faz entender a conexão que deve existir entre cura e evangelização.

No Evangelho de *João* lemos:

> *"Depois disso, houve uma festa dos judeus, e Jesus subiu a Jerusalém. Há em Jerusalém, junto à porta das Ovelhas, um tanque, chamado em hebraico Betesda, que tem cinco pórticos. Nesses pórticos jazia um grande número de enfermos, de cegos, de coxos e de paralíticos, que esperavam o movimento da água. [Pois de tempos em tempos um anjo do Senhor descia ao tanque e a água se punha em movimento. E o primeiro que entrasse no tanque, depois da agitação da água, ficava curado de qualquer doença que tivesse.] Estava ali um homem enfermo havia trinta e oito anos. Vendo-o deitado e sabendo que já havia muito tempo que estava enfermo, perguntou-lhe Jesus: Queres ficar curado?"* (*João* 5:1-6)

Primeiramente Jesus toma a iniciativa de se apresentar para aquele doente para curá-lo. Normalmente falamos que é a fé que cura. Isso até pode ser discutível! Não é a fé que cura, mas o amor. Não tem fé este paralítico. Podemos dizer que existe fé de toda a Igreja, mas não a fé da pessoa que está para receber a cura, como não tinha fé o paralítico que os amigos levaram para Jesus. O evangelista Lucas fala do fato:

> *"Vendo a fé que tinham, disse Jesus..."* (*Lucas* 5:20)

Neste caso Jesus cura o paralítico pela fé da comunidade. Assim como no caso do centurião que vai rezar para a saúde do servo. (*Mateus* 8:13) A fé era do centurião, não do servo. É pela fé do centurião que Jesus cura a pessoa do servo. Como acontece com a filha de Jairo (*Marcos* 5:21-24;35-42) ou de Lázaro. Também neste caso Jesus devolve a vida não pela fé de Lázaro, que já estava morto, mas pela fé de Marta. (*João* 11:22-27)

Portanto aqui, como pode ser constatado, o critério de cura não existe. Jesus não segue sempre os mesmos critérios para dar a cura. Devemos prestar atenção para não impor a Deus os nossos critérios!

Às vezes Jesus cura pela fé. Diz à Cananéia:

> *"Por causa desta palavra, vai-te, que saiu o demônio de tua filha."* (*Marcos* 7:29)

Outras vezes cura pela fé de um outro que ama o servo: desta vez é o centurião.

Uma outra vez cura pela fé da comunidade: vendo a fé deles, Ele cura o paralítico.

Outras vezes não pede nada, como no caso do paralítico de que fala João no capítulo 5. Este não pedia nada, propriamente nada, como veremos mais adiante. Ele nem sabia que era Jesus que estava falando com ele, como veremos depois. É Jesus que o ama! Somente isto. É o amor que cura. Nenhum outro critério. Quando Jesus cura os cegos, a um pede:

> *"Que queres que te faça? Rabôni, respondeu-lhe o cego, que eu veja!"* (*Marcos* 10:51)

Põe as mãos no cego e o cego vê. Para um outro procura uma cura progressiva, que vai se realizando progressivamente: Põe saliva sobre os seus olhos (o cega ainda mais!) e ele começa a ver:

> *"Vejo os homens como árvores que andam."* (*Marcos* 8:24)

Neste ponto Jesus põe as mãos sobre os olhos dele e aquele finalmente vê. Neste caso existe uma progressão. O Senhor não tem critérios predeterminados.

Devemos vigiar, porque nós queremos muito quando operamos ou pedimos a cura. Nós devemos crer no amor de Jesus pela pessoa e basta! Não na cura. Muitas vezes a gente fala: "Mas enfim eu não tinha fé, por isso o Senhor não me curou! Não tinha fé!". Não, não tem importância. Você pode ter fé muito mais que aquele que recebeu a cura! Mas são os planos de Deus que contam. Devo falar: "Eu creio, creio nEle que me ama". Portanto, quando eu peço a cura, não creio que o Senhor esteja intervindo para curar a minha doença, mas creio que Jesus me ama. E creio que naquele momento Jesus está dando o que é de mais serventia para mim, a coisa melhor e qual seja eu não conheço.

No caso do paralítico da piscina de Betesda temos este detalhe: Jesus toma por completo a iniciativa! O Senhor, portanto, pode curar mesmo se não pedimos a cura. Cura, tomando por completo a iniciativa. Esta é a razão pela qual não devemos colocar critérios nas curas que pedimos por nós mesmos ou para os outros, porque é o Senhor a agir!

Depois existe um outro detalhe importante: "Você quer ser curado?" Isto é muito importante. Jesus não é um mago, Jesus me cura, sim, mas com a minha colaboração. Não é um mago! Muitas vezes Jesus faz esta pergunta. Fê-la também para o cego de Jericó:

> *"Que quereis que eu vos faça?"* (*Mateus* 20:32)

como para dizer: "Não posso dar um presente, e obrigar você a recebê-lo, mas só se você quer recebê-lo!"

Quando rezamos, seja para nossa cura ou dos outros, devemos nos preparar e preparar as pessoas a não agir como magos: "Vem, farei por você uma oração", como se tudo acontecesse! Devemos antes orar ao Senhor e depois perguntar a quem pede a cura: Você vai ao Senhor? Quer receber os Sacramentos? Você quer estar com o Senhor? Porque muitos vêm somente para uma cura mágica, nada mais. Assim, não faça nada e veremos a seguir o porquê disso!

"O enfermo respondeu-lhe: Senhor, não tenho ninguém que me ponha no tanque, quando a água é agitada." (*João* 5:7)

(Não passa nem pela mente que aquele homem que falava poderia curá-lo.)

"Enquanto vou, já outro desceu antes de mim".

Definitivamente, aquilo que no seu pensamento ele esperava era: "Pelo menos fica perto de mim e me joga na água no momento certo!... mas nada mais!" Jesus lhe ordenou:

"Levanta-te, toma o teu leito e anda. E os judeus diziam ao homem curado: É sábado, não te é permitido carregar o teu leito." (*João* 5:8.10)

(Ainda não sabia que era Jesus, ainda não sabia nada dEle e vemos a seguir como ele soube.)

"Aquele que me curou disse: Toma o teu leito e anda. Perguntaram-lhe eles: Quem é o homem que te disse: Toma o teu leito e anda? O que havia sido curado, porém, não sabia quem era." (*João* 5:11-13)

Portanto, o milagre ainda não estava completo porque ele ainda não conhecia Jesus. E Jesus faz o milagre em vista de sua segurança, e não pelo milagre em si mesmo. Esta seria a magia! O milagre serve para poder transformar o curado em um discípulo de Jesus. "Porque Jesus se havia retirado da multidão que estava naquele lugar. Mais tarde, Jesus o achou no templo". Uma coisa que nunca tinha acontecido! Jesus tenta achá-lo! Por quê? Com que propósito? O que vale a cura quando uma pessoa, através dela, não conhece Jesus? Esta é a evangelização que devemos nos preocupar em não separar da cura; fizéssemos também todos os tipos de milagres (também Sai Baba faz milagres na Índia!), e mesmo assim não teriam serventia por si mesmo se não finalizados com a evangelização. Jesus de fato diz:

> *"Eis que ficaste são; já não peques, para não te acontecer coisa pior."* (*João* 5:14)

Neste caso, este homem vai e fala para os judeus que foi Jesus que o curou. Somente agora o milagre está completo.

Deparamo-nos com um caso típico que se presta perfeitamente para nos fazer entender que cada cura, nossa e dos outros, deve ser direcionada para um encontro com Jesus que cura. Muita gente corre para a Cura de Jesus, mas não para Jesus que Cura. E quando alguém corre para Jesus que Cura o milagre é pleno.

Quando aquela mulher tocou a veste do Senhor, Jesus pergunta: "Quem foi?" (*Marcos* 5:30) Ele o sabia! Somente queria que testemunhasse diretamente que foi Jesus que a curou.

Por que Jesus, quando curou aqueles dez leprosos e somente um voltou para agradecê-lO, perguntou dos outros nove? (*cf. Lucas* 17:17)

Nós sempre dizemos que é porque queria ser agradecido, mas não é somente este o motivo; mas porque a cura não pode ser considerada plena sem que se volte para Jesus. De fato, ser curado mas ficar afastado de Jesus, que cura é? A cura verdadeira acontece quando, por meio dela, você começa a seguir Jesus. De fato, achamos no Evangelho (maravilhoso!) quando Jesus cura o cego de Jericó: "Agora segui-me!" É evidente, porque este é o motivo de cada cura: seguir Jesus. Devemos prestar muita atenção quando nos deparamos com o processo da cura para não esquecer que seguir Jesus, dar Jesus para os outros, não é um detalhe, mas uma coisa essencial. Somente assim a cura pode existir e pode ser chamada de plena.

4. O SACRAMENTO DA UNÇÃO DOS ENFERMOS

É muito claro que o Documento sobre as curas, que já foi mencionado, tem como intenção colocar em terreno católico a cura. É também claro que o Documento está promovendo o Sacramento da Unção dos Enfermos. Há tempo, nossos grupos de oração, os carismáticos, pedimos ao Senhor a cura por meio de rezas espontâneas, de glórias, mediante muitas outras formas. Bonito! Agradecemos o Senhor por este movimento mundial que pôs novamente em realce a cura, que na Igreja sempre existiu. De fato, sempre tivemos os taumaturgos, sempre tivemos os santuários, sempre tivemos o Sacramento da Unção dos Enfermos. Todavia devemos admitir que foi o movimento da Renovação Carismática que promoveu esses carismas através desta nova Pentecoste de que falava o Papa João XXIII. Mas devemos também admitir que nós, carismáticos, não temos ainda claro o verdadeiro valor do Sacramento dos Enfermos.

O Papa João Paulo II, quando falava aos Movimentos, dizia que devem ser "um laboratório" dos Sacramentos. Um termo bastante interessante porque em um laboratório são executados experimentos, experimentos que às vezes acabam produzindo alguma explosão!! O laboratório é assim? Não!

Bem, também para nós, carismáticos, foi dada essa função de experimentar. Queremos agradecer o Senhor, por exemplo, por conseguirmos tornar mais viva a Missa. Quando se celebra uma Missa carismática, de fato, o que para muitos tinha se tornado em algo tedioso, experimentamos que pode ser transformada em uma festa, uma coisa muito bonita, mesmo durando três horas ao invés de meia hora. Fica para nós, que temos as experiências carismáticas, renovar os nossos Sacramentos. Sim, estamos no começo da experiência, provavelmente prendemo-nos somente à Missa e os demais Sacramentos ficaram mais ou menos iguais, também com rituais maravilhosos. Mas não é suficiente reformular os rituais, temos que reformular as pessoas!

Parece que a Igreja nos está incitando a experimentar mais a força do Sacramento dos Enfermos. Não entrando em detalhes de dizer como fazer ou não fazer, trata-se de experimento que somos chamados a realizar mantendo-nos entre os limites do Rito litúrgico e segundo as diretivas da Igreja, mas nós, sacerdotes, temos verdadeiramente que estimular, incentivar a fazer. Deduzo isso da freqüência com que isso aparece no Documento sobre as curas. Somente a Igreja tem esse Sacramento da Unção dos Enfermos; os outros não têm. Portanto, neste caso, não podemos copiar nenhum protestante e nenhum outro. Somos nós os chamados, no terreno católico, a estudar e a ver o modo como podemos continuar este novo discurso. Somos nós que podemos nos definir missionários da cura, e estudar como podemos nos aventurar no pedir esta cura também pelo Sacramento dos Enfermos, mas sempre, como já descrito, dentro das diretivas e dos limites do Rito Litúrgico.

Oração:

Obrigado, Senhor, pelo Sacramento da Unção dos Enfermos e obrigado pela nossa Igreja católica.

Glória à Tua potência de cura: opera, neste momento, sobre cada pessoa que está lendo este livro, uma cura profunda e plena.

Capítulo VII

O Amor no Ministério da Cura

"Amai... e grande será a vossa recompensa e sereis filhos do Altíssimo." (Lucas 6:35)

Este capítulo, dedicado ao Amor, pede para ser começado com uma oração, para nos introduzir na intimidade dEle que é Amor.

Oração:

"Senhor me apresento a Ti para falar que estou aqui, que estou junto de Ti. Uma primeira coisa que quero Te pedir neste momento é que proporcione a todo mundo uma experiência do Teu amor: Tu me ama!

Quantas vezes escutei esta palavra, escutei-a ainda quando estava no ventre da minha mãe. Já sou adulto, não tenho mais aquela inocência de meninos que tive uma vez. Senhor, duvido, duvido do Teu amor, não o sinto mais, sou bloqueado. Eu sei, com a mente, que Tu me amas, mas com o coração é difícil encontrar-Te, sentir a Ti, gostar de Ti.

Hoje, o meu pedido para Ti é este: não olhar para os meus pecados, não olhar para as minhas falhas, não olhar para as minhas infidelidades, mas me amar, Senhor. Tu sabes que tenho necessidade de amar e de ser amado. Sim, também mesmo adulto essa exigência afetiva está presente. E muitas vezes sinto, sinto muito essa falta de amor. O mais grave é que, muitas vezes, sinto essa falta de amor por Tua parte. É como, Senhor, tivesse a sensação de ter sido escolhido por Ti para uma missão e depois tivesses me deixado sozinho. Não Te sinto, muitas vezes. Sim, eu sei que Tu estás perto de mim, especialmente quando estou recolhido em oração, quando estou na Igreja e participo da Missa, quando eu, sacerdote, celebro a Missa. Mas, muitíssimas vezes, Tu pareces estar longe de mim; falo de Ti, mas não Te vejo na minha vida, não Te sinto.

Senhor, hoje Te peço: faz-me sentir que Tu me amas; hoje me faz sentir que sou um filho, uma filha; que neste momento não olhes para as minhas faltas, neste momento não estás olhando para as minhas quedas, os meus pecados, não. Neste momento Tu me olhas como um filho, Tu me olhas como uma filha. Que felicidade! Faz-me sentir, Senhor. Já que não O sinto faz anos. Todavia, falo de Ti para os outros, mas para mim quem o faz? Faz anos que ninguém diz para mim: Deus te ama, Tu és o predileto de Deus. Senhor, hoje sou igual a um menino pequeno, um menino pequeno na Tua frente; o menino pergunta para a mãe. "Você gosta de mim? Mãe, você gosta de mim?" E assim eu faço, Senhor, hoje: "Ama-me, abre o meu coração para o amor, Senhor, abre-o para receber o amor".

Existem tantas feridas no meu coração. Podem ser as feridas que recebi dos meus pais; pais que às vezes não conseguiram exprimir o amor e me amaram de forma diferente. Amaram-me, sim, deram-me tudo, mas não me abraçaram. Faz anos que não recebo o abraço dos meus pais, se ainda estão vivos. E, se morreram, pode ser que exista um ressentimento contra eles... ou pode ser que seja contra Ti, porque me parece que Tu os levaste de mim muito cedo.

Sim, Senhor, também quando adulto em mim existem muitos vazios, muitíssimos vazios, vazios de amor; vazios, por parte dos meus pais; vazios também por parte dos meus parentes. Todos me olham debaixo para cima porque um dia comecei uma caminhada de fé junto a Ti e pareci forte, feliz, porque naquele dia eu Te sentia ao meu lado... Mas a partir desse dia ninguém percebeu que tenho um coração como todos os outros. Todos querem me ver forte, mas, Senhor, sou fraco. E, muitas vezes, eu queria que os outros aceitassem a minha fraqueza, que os outros aceitassem o fato que também eu, que já sou pai ou mãe, que sou o animador de um grupo de oração, o diretor de uma comunidade, também eu que sou um sacerdote, uma freira, sou profundamente humano, como todos os outros.

Quantas feridas levo no meu coração! Hoje Te digo, Te peço: "Põe, Tu, a mão sobre as minhas feridas; cura-as, Senhor!"; aquelas feridas que sempre mantive escondidas, porque sempre pensei que pô-las na mesa, mostrá-las, era sinal de fraqueza, quero dizer, perderia a estima dos outros. Sim, muitíssimas vezes me cobri com uma máscara para mostrar para os outros quanto eu sou forte. Pode ser que os outros me olhando tenham falado: "Mas tu não és como nós! Tu és um colosso!" Ao invés, eu sou fraco e Tu sabes disso. Tu és o único, a saber, porque Tu, Senhor, podes ler dentro e fora de nós. Tu, Senhor, conheces os meus passos; Tu conheces, Senhor, as minhas dúvidas, Tu conheces as minhas frustrações, Tu conheces as minhas faltas, Tu conheces tudo de mim. Por isso hoje me apresento na Tua frente assim como eu sou: por um lado eu sou triste porque sei o que fiz, mas por outro lado tenho um coração cheio de felicidade sabendo que Tu me acolhes nos Teus braços, sabendo que Tu me entendes, Tu és o único que me entendes; todos os outros estão com as pedras na mão, todos os outros querem me apedrejar. E se soubessem mais de mim me apedrejariam ainda com mais vontade, mas Tu não, Tu és o único a me defender, o único! Tu és o único a falar para mim: Vem, Vem para mim.

Faça com que hoje, Senhor, possa sentir o calor do Teu abraço: Tu me queres bem, Tu me queres muito bem. Abraça-me, Senhor! Abraça-me!...."

Apreciamos o abraço do Pai! Este Deus que nos marcou na palma da mão; este Deus que me leva nas asas de uma águia; este Deus que me defende, que me ama, que me quer bem!

"Abraça-me, Senhor! Faz experimentar para mim o Teu amor! É somente na Tua frente que não tenho inibições, é somente para Ti que posso dizer: Obrigado, Senhor, por ter me feito, criado, amado!

Obrigado, Senhor, por ser o que eu sou e por não ser um outro; obrigado, por minha identidade; obrigado, pela minha originalidade.

Senhor, eu sei que neste momento Tu estás me escutando.

Cura-me, Senhor; liberta-me de cada bloqueio na minha vida. Faz de mim, Senhor, uma nova criatura, completamente nova. Abraça-me a Ti. Nunca Te deixarei, Senhor, porque a minha vida sem Ti é um desastre, mas Contigo tudo é possível. Contigo viverei, Contigo, Senhor, serei feliz.

Junto de Ti, Jesus, está também Maria que está pondo a sua mão sobre mim, sobre os meus ombros, Maria que me ama, Maria que me conduz para Ti, oh, Jesus. Maria que me chama filho, que me chama filha; Maria que hoje está trazendo para mim o Espírito Santo como o fez por Elizabete; por João, no ventre por Simeão; por Ana.

Maria me traz o Espírito para me completar e para me curar".

1. CRIADOS À IMAGEM E SEMELHANÇA DE DEUS

As Escrituras nos falam que Deus nos criou a Sua imagem e semelhança (*Gênesis* 1:26); aqui nesta meditação sobre a cura, devemos considerar o seguinte:

- Mais nos transformamos em amor, mais chegamos perto de Deus.

- Mais estamos abertos para o amor, mais podemos oferecer amor.
- Mais estamos abertos ao amor, mais somos curados.
- Em todas as áreas em que estamos bloqueados, fechados ao amor, nelas precisamos de cura.

Ora, Deus é amor. Na *Bíblia* temos duas definições de Deus: uma no Antigo Testamento onde Deus responde a Moisés que perguntava:

> *"Se me perguntarem qual é o seu nome?" Deus respondeu a Moisés: 'EU SOU AQUELE QUE SOU'"* (*Êxodo* 3:13-14);

e outro no Novo Testamento em que João que O define como simplesmente Amor:

> *"...Deus é amor."* (*1João* 4:8)

Bem, nós somos criados à Sua imagem e semelhança. (cf. *Gênesis* 1:26)

Na tradição, algumas vezes, encontramos os santos Padres falando que somos parecidos com Deus na inteligência, porque o homem tem inteligência, porque o homem tem vontade. Mas, assim, poderíamos chegar a dizer que quem é mais inteligente parece mais com Deus! E, certamente, não é assim. Parecemos com Deus no amor. Portanto, essa imagem e semelhança não é uma coisa estática! Esse parecer com Deus é uma coisa que cresce e diminui: eu sou mais próximo de Deus quanto mais o amo, sou aberto para o amor, a receber amor e pronto a amar. Mais eu amo, mais eu me transformo em amor e mais sou parecido com Deus, porque Deus é amor. Portanto, podemos falar que toda a nossa saúde consiste exatamente no amor.

Vimos que em nós podem existir muitas brechas de amor, brechas que podem vir também do nosso passado. As maiores são aquelas que derivam das nossas famílias, dos nossos pais que provavelmente não souberam exprimir o amor. Não é que não nos amavam, mas que não conseguiram expressar o seu amor por nós.

Quando, em 1999, celebrávamos "O Ano do Padre", em preparação ao grande Jubileu do 2000, o Cardeal Martini publicou a carta sobre Deus Pai. Disse: "Estamos no ano mais difícil!", porque é fácil apresentar para o homem atual Jesus e o Espírito Santo, mas é muito difícil apresentar o Pai, por uma razão muito simples. A idéia de Pai nós a pegamos da paternidade humana e a paternidade humana, infelizmente, não é uma paternidade "modelo".

Muitos de nossos jovens vivem em famílias separadas; muitos de nossos filhos vivem em famílias em que há um só progenitor. Portanto, existem muitas feridas a respeito da paternidade humana para podermos aceitar a Deus como Pai, a paternidade de Deus Pai, ou a paternidade e a maternidade de Deus Pai (porque Deus não somente é Pai, Deus é também Mãe). O Cardeal Martini de fato falava de Deus não somente como Pai, mas também como Mãe. Portanto, a paternidade humana e a maternidade humana nada mais são que um pequeno sinal do que é a paternidade e a maternidade de Deus Pai: Deus Pai e Deus Mãe.

Deus, portanto, é Amor, Deus é Pai, Deus é Mãe e é esta semelhança com Deus que nos abre para um amor maior para recebê-lo e distribuí-lo. É o amor que cura; é com amor que nós oramos para que Deus cure aos outros.

Como já comentamos, quando rezamos para a cura, de modo especial para os outros, nós nos colocamos à disposição de Deus. Deus ama aquela pessoa por nosso intermédio! De fato, muitas vezes, não necessitamos de muitas orações para poder interceder por uma pessoa.

Aos casais não acostumados a rezar de livre vontade peço: quando vocês estiveram na cama, antes de dormir, segurem a mão um do outro e, em silêncio, nesse preciso momento, deixem-se dominar pela presença de Deus, sabendo que, você, marido, nesse momento, é o instrumento por meiodo qual Deus ama a sua esposa; e você, esposa, é neste mesmo momento o canal através do qual o Pai passa o amor para seu marido. Em silêncio! Portanto, fazendo o amor fluir.

Nos grupos muitas vezes sugiro essa experiência (chamo-a experiência da cadeira); uma pessoa senta-se em uma cadeira, duas pessoas amigas, íntimas, vão para perto, em silêncio põem suas mãos sobre a cabeça dela como se a deixassem sugar o amor. Ela, sentada, suga e absorve o amor de Deus; e as outras duas, naquele momento, transformam-se no canal através do qual o amor do Pai passa para ela que se sente amada por Deus, sente-se amada pela comunidade representada pelos dois irmãos ou irmãs. Esta é a oração de cura provavelmente mais eficaz, mais do que aquela feita com palavras, porque é o amor que cura.

2. O QUE É O AMOR

Mas o que é este amor de que estamos falando? Será bom fazer uma reflexão sobre o amor, sobre o que verdadeiramente é o amor.

Antes de tudo existe diferença entre o amor cristão e o amor humano.

O amor humano é baseado nos sentimentos, enquanto o amor cristão é uma decisão que nós tomamos.

Se olharmos uma telenovela, lermos um livro sobre amor, ou vermos filmes de amor, observaremos que o amor é apresentado como uma sensação, um sentimento, um *feeling*, uma emoção que nos empurra para uma outra pessoa. Uma vez que este *feeling* desaparece, desaparece também o amor. E de fato quantas vezes, quantas pessoas vêm até nós, sacerdotes: "Eu não amo mais a minha esposa, porque não sinto mais nada por ela!". Portanto, o amor assim entendido consiste somente em sentir amor. Este é o amor humano, e, uma vez que você não sente nada, você não ama mais.

O amor cristão é diferente: o Senhor não nos pede para seguirmos ou termos *feeling* por todos: não é possível! Existem algumas pessoas pelas quais nutrimos um sentimento, mas existem outras pelas quais nada sentimos. E não é culpa minha se não sou atraído por você, e não é culpa sua se não me sinto atraído por você.

O amor cristão não é baseado em simpatias ou antipatias: nem todo mundo pode ser simpático para mim. Mas Deus nos fala:

> "...amai os vossos inimigos." (*Lucas* 6:27)

Mas, Senhor, como posso ter simpatia por um inimigo? Como posso sentir uma atração por alguém que me faz algum mal? Impossível! Eu duvido que Jesus simpatizasse com os fariseus; não penso que sentisse alguma atração por eles, pelo menos pelo que nos é dito nos confrontos com eles; não é possível ver uma grande simpatia! Portanto, o amor cristão não consiste no *feeling*, não consiste no "sentir", não consiste em ter "emoções" em relação a uma outra pessoa: este é o amor humano, a linguagem humana por nós usada. Mas o amor cristão consiste em uma "decisão" tomada por você, de amar uma outra pessoa: "Amai-vos", é uma ordem!

Portanto, observando um comando, uma ordem, eu o faço por meio de um "sim" que digo; de uma decisão de amar o outro, independentemente de ter ou não uma simpatia por ele. Independentemente do que sinto por ele, eu decido amá-lo! E naturalmente, em seguida, mantenho esta decisão. Se digo: "Eu decido amá-lo", mas tento fazer-lhe algum mal, tento pisá-lo, tento pô-lo de lado, que tipo de decisão eu tomei? Portanto, devo manter a decisão com os fatos não com os sentimentos.

Acho que esta é uma afirmação de fundamental importância para nós, sacerdotes, e também para os leigos. Muitas vezes os fiéis vêm até nós, sacerdotes, para nos falar: "Eu não chego perto da Comunhão porque sinto ainda uma raiva dentro de mim, sinto uma raiva contra aquela pessoa". Bem! A raiva contra aquela pessoa tem de ser curada aos poucos; mas se você decidiu amar aquela pessoa pode comungar, sentindo o que você ainda sente por ela.

Assim, podemos entender de melhor forma a diferença entre o amar alguém e o ser curado das feridas que tenho e que alguém me causou.

Com isso quero dizer que as feridas precisam de tempo para ser curadas.

Dou um exemplo, um exemplo muito simples: Imaginemos que lhe dou um tapa: machuco você. "Eu lhe perdôo, você me diz". Obviamente a sua decisão não me autoriza a lhe dar outro tapa. Simplesmente, tendo me perdoado, você não irá falar para todo mundo que lhe dei um tapa! Mas o resultado do perdão não significa que não sentirei mais a dor no rosto: ela desaparecerá aos poucos. Portanto, você ainda poderá sentir a dor mesmo já tendo perdoado. Em suma, existe uma diferença entre o perdoar e o curar a ferida produzida pela ofensa. E muitas vezes fica em nós o rancor, um ressentimento, um bloqueio com essa pessoa, mas tudo isso não significa que eu não tenha perdoado. Posso decidir perdoar, ou seja, amar uma pessoa segundo o Evangelho, mesmo se as feridas ainda estiverem abertas.

3. AMAR A SI MESMO

Uma segunda coisa que me parece importante é que, na Escritura, temos dois mandamentos do amor. O primeiro mandamento é encontrado já no *Levítico*:

"Amarás o teu próximo como a ti mesmo." (*Levítico* 19:18)

O amar o próximo é alguma coisa, de fato, muito antiga, não é um preceito que Jesus nos deu! Lembremos daquele doutor da lei que perguntou para Jesus:

"Mestre, qual é o maior mandamento da lei?" (*Mateus* 22:36)

Respondeu Jesus:

"Amarás o Senhor teu Deus de todo teu coração, de toda tua alma e de todo teu espírito. Este é o maior e o primeiro mandamento. E o segundo, semelhante a este, é: Amarás teu próximo como a ti mesmo." (*Mateus* 22:37-39)

Portanto, o critério, o modelo, para falar do amor ao próximo, somos nós mesmos. Não consigo amar os outros se estou fechado ao amor por mim mesmo, sou fechado ao amor pelos outros. Portanto, o quanto posso amar aos outros é o tanto que sei amar a mim mesmo. Mas, atenção! Este amar a si mesmo não é aquele amor egoísta. Isso não é amar. Quando amamos de forma egoísta, estamos nos destruindo. Portanto, esse não é um amor verdadeiro.

O verdadeiro amor por mim consiste em me aceitar, aceitar a minha identidade, a minha originalidade: Deus me fez e como eu não fez nenhum outro! Existe uma originalidade em mim; amar-me quer dizer amar o projeto de Deus em mim. E tudo que sai das mãos de Deus é uma obra de arte! Portanto, ao me criar e me idealizar em projeto, Deus me transformou em uma obra de arte, mas isso se consigo deixar que Ele execute em mim Seu projeto.

Na realidade nós não deixamos que Ele possa fazer muito sobre nós! Este será o nosso purgatório. O Purgatório não será um castigo, e sim um ato de Amor. É como quando você vai a uma recepção e ao se perceber que está com a roupa manchada, o quanto ela está suja, pede ao primeiro que encontra: "Tem algo ou algum lugar onde eu possa trocar de roupa?" A pessoa indica e você agradece. Assim é o purgatório. Quando estivermos na frente do Senhor, Ele simplesmente nos mostrará o nosso retrato original dizendo: "Quando eu o criei, meu filho, era isto o que queria fazer de você! Você não me deixou fazêlo porque pensou que conseguiria um retrato mais bonito!" Nessa hora olharei aquele retrato, o projeto completo de Deus sobre mim, e verei quão grande é a diferença! Nesse instante sentirei vergonha e falarei espontaneamente: "Senhor, purifica-me!" E Ele me purificará antes de deixar que eu entre para Sua glória. Naquele momento entenderei o purgatório como um grande ato de amor: é a minha purificação para poder recuperar o retrato original que Deus fez para mim. Isto é amar a mim mesmo! Amar a mim mesmo quer dizer amar o meu retrato original.

Em grandes praças normalmente existem aqueles pintores fazendo caricaturas. Às vezes gosto de parar e observá-los, enquanto desenham a caricatura de alguém. Todo mundo que está ao redor do pintor ri. O único sujeito sério é o que está sentado na cadeira, porque ele não está se vendo; os outros visualizam o que o pintor está fazendo: o nariz longo demais, as orelhas muito abertas... Todos riem, menos aquele que está sendo retratado. E uma vez feita a caricatura, o pintor entrega-a ao interessado que paga e a leva para casa, todo feliz; pode ser até que faça um quadro! Aqui está o que nós somos, aquilo que nós fazemos: uma caricatura de nós mesmos! Sim, estamos contentes por ser nervosos; estamos contentes de não ser humildes; estamos contentes de não deixar ninguém nos fazer de bobo; enfim, estamos contentes da nossa caricatura. E não permitimos que Deus construa o nosso retrato original.

Quando amamos a nós mesmos, devemos amar o nosso retrato original, não a nossa caricatura! A ela sou chamado a renunciar! O Senhor mesmo diz:

"Se alguém quiser vir comigo, renuncie-se a si mesmo." (*Mateus* 16:24)

Renunciar a que coisa? Renuncie às caricaturas que faz de si mesmo para se amar de verdade. Mas amar a si mesmo como é amado por Ele! Aí está o sentido do mandamento:

"Amarás teu próximo como a ti mesmo".

4. O NOVO MANDAMENTO

Agora chegamos a Jesus falando:

"Dou-vos um novo mandamento:"

Essa frase encontramos em *João* 13:34.

"Dou-vos um novo Mandamento: Amai-vos uns aos outros como eu vos tenho amado".

Eis a novidade. A novidade não está no "Amai-vos", porque este é um mandamento tirado do Antigo Testamento. (*Deuteronômio, Levítico*)

A novidade está no "Amai-vos como Eu vos tenho amado", como Eu vos tenho amado! Aqui estamos mesmo voando alto! Como Deus me amou?

Podemos definir a totalidade do amor de Deus em uma palavra: Jesus nos amou incondicionalmente! Sem condições. É este o modo como Deus me amou. Sem condições!

Normalmente sempre impomos condições! Tomemos o exemplo de uma mulher que tem o marido alcoólatra. Certo dia apronta uma das suas, mas em seguida pede perdão: "Perdoa-me!" A esposa: "Tá bom, perdôo! Mas você não deve fazê-lo nunca mais!" Achamos normal impor condições. Também quando perdoamos os outros, nós amamos por condições. Deus não! Deus nos ama incondicionalmente.

Todo o Evangelho nos faz entender isso, mas provavelmente o episódio mais belo é o da adúltera, da mulher surpreendida em flagrante adultério colocada para ser apedrejada. (*João* 8:1-11) Os acusadores não estavam fazendo nada de mal: agiam segundo a lei de Moisés que prescrevia: Uma mulher que comete adultério deverá ser apedrejada. Não faziam nada de errado, nada de extraordinário. A adúltera não resiste, não se rebela, porque sabe que não pode se defender, não pode falar nada em defesa própria. Está na frente de Jesus sem falar, em silêncio! Jesus se dirige a esses homens:

> *"Quem de vós estiver sem pecado seja o primeiro a lhe atirar uma pedra."* (*João* 8:7)

Pela tradução grega, Jesus não somente fala: "Quem de vós estiver sem pecado", mas "Quem não cometeu este pecado". No entanto, aqueles homens, ao menos em pensamento, eram adúlteros, sim! Jesus, portanto, queria dizer: "Quem de vocês é puro? Quem de vocês não tem a culpa do adultério?"

Deixamos de lado este detalhe. O fato é que todos jogaram as pedras no chão e voltaram para casa. Agora temos o momento mais belo: Jesus sozinho com a adúltera (normalmente imaginamos ela ajoelhada e Jesus de pé, mas é o contrário: a mulher está de pé e Jesus está agachado, a escrever!) Nessa hora Jesus diz duas coisas para a adúltera. A primeira:

> *"Mulher, nem eu te condeno".*

Nenhuma condição! Ele não fala: "Mulher, promete-me de não fazer novamente este mal que você fez? Promete-me?" Não, "Mulher, nem Eu te condeno". Eu te considero como antes, Eu te amo como sempre te amei, não te condeno. Não te condeno, mas condeno o pecado: "Vai e não tornes a pecar". Não diz primeiro: "Vai e não tornes a pecar, e assim não te condeno". Normalmente nós agimos assim: "Eu te perdôo, eu não te condeno, mas com a condição que você me prometa de não fazer mais o que fez!"

O amor de Deus é ainda maior. Não te condeno, te amo, mas não peques mais; não te condeno, condeno o teu pecado, é a segunda coisa.

Isto é amar incondicionalmente, sem condições. Isso não é fácil, ao contrário, é muito difícil.

Por isso, o amor, (e o amor aos outros e o amor por Deus é o mesmo mandamento, andam juntos: eu amo Deus porque amo os outros e amo os outros porque amo Deus), é uma caminhada, é uma decisão, mas a decisão consiste no começar a caminhada no amor, porque ninguém pode falar de ter chegado ao cume do amor. Ninguém pode amar incondicionalmente assim, por uma decisão: acontece uma caminhada, é necessário que comecemos a caminhada para o amor.

Querendo estudar mais profundamente o que é o amor, o texto mais bonito é aquele de São Paulo, na *Primeira Carta aos Coríntios*, no capítulo 13.

Se alguém quer fazer um teste, ver se dentro de si verdadeiramente existe amor, é muito fácil. Em qualquer louvor ou elogio antes das palavras amor e caridade se é colocado o pronome "eu", porque o amor não é alguma coisa que está no ar; o amor está em mim, está no homem. Muitas vezes, quando ministro seminários de cura, para fazer uma experiência do que estou explicando a casais sobre o amor, por exemplo, digo: "Peguem as mãos um do outro, olhem um nos olhos do outro, e pensem sobre este texto: vejamos como vocês se sentem. Como você se sente, marido, se a sua esposa deve ser perdoada, ajudada? Você é paciente com ela, é bom, não é invejoso, não tira vantagem, não se sente convencido, não falta com respeito, não tenta ganhar alguma coisa, não fica com raiva, não considera o mal que recebeu, não se aproveita da situação mas, na verdade, lhe agrada? Tudo encobre, tudo crê, tudo espera, tudo suporta, porque o amor não tem fim?" Naturalmente todos começam a rir. Por quê? Porque todos sabem que estão longe do verdadeiro amor.

Tentemos fazer esse teste conosco; tentemos aplicar esse texto em nós e vejamos se verdadeiramente essas palavras se encaixam na nossa vida. Porque é muito fácil falar de amor de forma abstrata, mas é difícil falar de si mesmo perguntando se se ama, se se é cheio ou vazio de amor.

5. AMOR E PERDÃO

O amor comporta o perdão. Já vimos que normalmente na cura interior o que está escondido atrás de cada medo, de cada raiva, de muitas ansiedades é a falta de perdão, que muitas vezes acarreta doenças psíquicas e também físicas. Um psiquiatra inglês muito famoso, K. McAll (que escreveu os livros sobre a árvore genealógica, livros traduzidos também em italiano), diz que muitos pacientes internados nos nossos hospitais psiquiátricos, tratados constantemente com novos medicamentos para a psique sem nenhum resultado, seriam pessoas que no ato da internação no hospital teriam necessitado não de medicamentos, mas de pessoas que os ajudassem a perdoar.

Hoje muitos psiquiatras e muitos psicólogos confirmam esta verdade: muitos doentes psíquicos necessitam não tanto de medicamentos para a psique (ou pelo menos não somente), mas de ajuda para perdoar. A falta de perdão acarreta muitas ansiedades; a falta de perdão acarreta tantas tensões que acabam por se somatizarem: algumas vezes se transformam em dores no estômago, ou na garganta, ou na cabeça e em outras partes do corpo, e quando são feitas análises clínicas o médico não encontra nada de fisicamente anormal; trata-se de resultados da falta de perdão. Uma falta de perdão que, como já falamos, pode ser para comigo (eu não me perdôo), ou para Deus (uma grande raiva contra Deus), ou contra os outros.

Perdoar nos liberta, nos torna independentes. Lembro uma vez que veio até mim um muçulmano, uma pessoa importante da embaixada da Líbia, em Malta. Veio para me pedir para orar para ele poder ser liberto do oculto.

É difícil quando se trata de muçulmanos porque quando se é um sacerdote católico não se pode rezar para Maomé, ora-se para Jesus; mas para ele tinha pouca importância se eu orava para Jesus e não Maomé, o importante para ele era ser liberto do sobrenatural. Eu lhe disse: "Mas por que você veio a mim e não ao seu Iman para pedir essas orações?" Ele me respondeu: "Foi o Iman que me mandou a um padre católico, porque ele disse que o sobrenatural é tão forte que somente um padre católico pode acabar com ele!" Esta é uma convicção que os mulçumanos têm. Nós, Franciscanos, temos, por exemplo, uma grande Igreja em Istambul, onde muitos muçulmanos vão até os frades para pedir orações para ser libertos do oculto. Também entre os africanos e também entre os protestantes existe esta convicção, que a pessoa mais forte, mais poderosa, para fazer um exorcismo é o padre católico.

Quando o muçulmano me pediu para rezar por ele, para libertá-lo do sobrenatural, a primeira coisa que perguntei foi: "Antes de tudo falemos de uma outra coisa: você tem ódio no coração?". E ele respondeu: "Certamente que sinto ódio: ódio porque sou caluniado, injustiçado, porque tenho muitos inimigos". "Tudo bem, mas você tentou perdoá-los?", perguntei. Isto para ele foi um "choque". Disse-me: "Ora, eu, um muçulmano, perdoar?" Os muçulmanos, de fato, perdoam, mas para eles o perdão é qualquer coisa de social; eles perdoam durante o Ramadan, o período em que são obrigados a fazer a paz com uma eventual família inimiga. Mas não é a paz, e não é o perdão interior de que falamos: é um gesto social, exterior. Os muçulmanos não têm a idéia do perdão cristão, que é o perdão do coração para poder amar a pessoa inimiga. Ele me falou que nunca o tinha feito, e nunca teria tentado perdoar porque essa é uma coisa que vale para nós, cristãos, e não para eles, muçulmanos! "Está bem, em vez de falar de Jesus ou Maomé, falemos como homens: você, quando vai dormir, dorme, ou você está cheio de tensões, de vinganças que você sente, por tudo aquilo que vem a sua mente contra essas pessoas?" E, com sinceridade, me disse: "Muitas vezes eu não durmo, porque penso como poderia me vingar, o modo como poderia devolver tudo isso para os meus inimigos; ou fico cheio de medos: qual outro mal me poderiam ainda fazer?"

Eu lhe disse: "Também eu tenho inimigos, mas durmo!"

"E por quê?", ele me perguntou.

"Porque eu perdôo".

O que significa perdoar? Podemos ter com as pessoas uma:

a) Relação positiva, ou

b) Relação negativa.

A relação positiva é uma relação de amor e de amizade, e esta relação positiva traz bem-estar, serenidade, felicidade, produz segurança.

A relação negativa vem de inimizades, conflitos, portanto traz negatividade e me torna infeliz. Se se decide cortar essa relação negativa, sou livre. Portanto, quando eu perdôo, não é a outra pessoa que tem a vantagem, mas sou eu mesmo a obtê-la; eu, que estou ligado de forma negativa a outra pessoa, com o perdão, faço aquela relação negativa se desfazer, ser cortada, ficando assim, calmo e tranqüilo.

Humanamente falando aquele muçulmano começou a entender que, em última instância, perdoar não é um ato de fraqueza. Perdoar é um ato de sapiência, de inteligência, um ato concreto em que corto de verdade uma relação negativa para poder viver mais serenamente. Por isso Jesus nos fala para perdoar!

Obviamente o perdoar não quer dizer que o outro deve aceitar o nosso perdão! Às vezes a outra pessoa não aceita o perdão. Não é importante! O importante é que eu perdoe e eu dou o perdão mediante uma decisão: o perdão cristão.

O que é o perdão que nós, cristãos, somos chamados a dar? Achamos uma resposta em um texto que não teria ousado proclamar se não tivesse sido Jesus a dá-lo para nós, porque é muito forte. Estamos no Evangelho de São Lucas, onde Jesus assim fala:

> *"Digo a vós que me ouvis: amai os vossos inimigos, fazei bem aos que vos odeiam, abençoai os que vos maldizem e orai pelos que vos injuriam."* (*Lucas* 6:27-28)

Vejam! Quatro regras, quatro mandamentos. São mandamentos do Novo Testamento!

1) "Amai os vossos inimigos": Aqui não podemos brincar, Jesus não nos diz: não odiai, mas nos diz: "Amai", algo bom que é bem diferente de não odiar: é mais que não odiar; é amar os inimigos.

2) "Fazei bem aos que vos odeiam".

3) Interessante este: "Abençoai os que vos maldizem".

4) "Orai pelos que vos injuriam".

Aqui temos algo de bom. Por exemplo: "Você tem uma grande raiva contra sua sogra!" Bem, no momento, você não pode ir até ela e abraçá-la, mas pode rezar por ela! É difícil, mas tem que começar por isso. Começamos a quebrar a parede, a derrubá-la, começamos a rezar. "Rezar? Mas eu não sinto nada!". Não importa: o amor cristão não é um sentimento.

Interessante a frase "Abençoai os que vos maldizem". Quantas pessoas vêm a nós, sacerdotes, ou aos leigos que animam o grupo de oração, para dizer que foram amaldiçoados; dizem ter uma macumba sobre eles. Se têm ou não, eu não sei, nós usamos inúmeros métodos de intervenção. O método maior e mais seguro foi Jesus mesmo quem deu para nós: "Abençoai os que vos maldizem".

Aqui provavelmente, à primeira vista, não entendemos o porquê, não entendemos o que Jesus nos fala, mas, todavia, o que Ele afirma é totalmente lógico. Se alguém me maldiz e a maldição chega até mim e encontra um coração que odeia, um coração cheio de ressentimentos, a maldição acha uma brecha e entra! Mas se a maldição encontra a pessoa cheia de amor, com a couraça de amor, coberta de amor, não tem como entrar. Portanto, a maldição entra se ela encontra o ódio na pessoa! Se não encontra, o ódio bate em retirada! E, assim, quando nós abençoamos, ninguém pode nos fazer qualquer mal, estamos protegidos e ninguém pode mais nos fazer mal, porque o ódio, encontrando o amor, volta atrás. Por essa razão o Senhor fala para os seus discípulos: "*Abençoai os que vos maldizem*".

Nós, sacerdotes, muitas vezes somos alvo de inúmeras pessoas, e, se temos tantos que nos abençoam, temos também o mesmo número que nos maldizem; e o fazem verdadeiramente com o coração e não há nada a ser feito, é a realidade! Isso para não falar do demônio que faz qualquer coisa para nos vencer! Bem, todos nós, sacerdotes ou leigos, se rezamos todos os dias para quem nos maldiz, estaremos, desta forma, protegidos pelo amor. E todos aqueles que nos maldizem nada podem contra nós. A maldição não entra em nós porque nos encontramos protegidos pelo amor. Dá para entender, assim, o que o Senhor nos pede:

"*Abençoai os que vos maldizem*".

É muito lógico.

Falar do amor, falar do perdão não é nunca suficiente, existiriam tantas outras coisas para falar. Mas acho que sobre o que nós ponderamos já é suficiente para nos ajudar a entender que nós somos chamados para sermos repletos de amor, para podermos estar mais próximos de Deus. E estando repletos de amor nós recebemos a graça da cura e nos transformamos em instrumentos do Senhor para a cura dos outros. Quanto mais somos abertos para o amor, mais nós amamos e mais o Senhor pode nos utilizar para oferecer curas e recebermos aquela que necessitamos.

Capítulo VIII

Cristoterapia

"Presentemente, a minha alma está perturbada."
(João 12:27)

1. OS LIMITES DA PSICOTERAPIA

Quando começamos um percurso para nossa cura interior, bem como quando estamos ajudando alguém a fazê-lo, temos de prestar muita atenção em não abrir feridas, e em seguida deixá-las abertas.

Vimos que, normalmente, quando alguém vai a um psicólogo, este não faz mais que levar a pessoa para o seu passado, para depois torná-la ciente, por meio de uma psicoterapia, das causas, das raízes do que a está perturbando. Mas toda a ciência humana tem um limite, incluindo a Teologia. A Teologia, no fim das contas, procura ver quem é Deus, mas está ainda na planície entre as montanhas, aos pés da montanha. Portanto é o místico que tenta subir um pouco para o cume da montanha, por intermédio das experiências de Deus na sua vida. Mas também neste caso, com certeza, estamos tentando subir uma montanha que é infinita: Deus em toda a Sua onipotência, em toda a Sua magnitude infinita. DEle se consegue ver somente alguma coisa, mas muito de longe.

Portanto, todas as ciências humanas têm um limite. E, em função desse limite, nós acreditamos que somente Jesus pode dar o toque final. E é Ele que pode nos dar vida em abundância. Chegando a este ponto, não ignorando as ciências naturais, mas considerando também os seus limites, nós levamos os outros, levando nós mesmos acima de tudo, diante do Senhor, pedindo a Ele para colocar Suas mãos sobre nossas feridas.

Antes de ver o que acontece, o que significa deixar Jesus colocar Suas mãos sobre nossas feridas, devemos estar cientes do fato que o mesmo Jesus viveu a Sua humanidade como nós a estamos vivendo, com todas as emoções que nós temos porque as emoções fazem parte da nossa humanidade.

Às vezes nós tememos desgastar a divindade de Jesus se nos concentramos um pouco sobre a Sua humanidade. Mas não podemos esquecer que se Jesus é Deus, é também homem e homem perfeito. Portanto, não devemos ter medo de olhar a humanidade de Jesus. Façamos exatamente isso, porque é por meio dessa humanidade que recebemos a cura de Jesus que é Deus.

2. A HUMANIDADE DE JESUS

• *Os seus medos*

Antes de tudo, Jesus tinha os medos que nós temos. Tinha medo quando os judeus tentavam achá-lO: tinha medo! Não devemos considerá-lO como um super-homem: Ele é Deus mas é perfeitamente homem. Nós O achamos falando na frente de todo mundo: "Tenho medo desta hora!" (*Marcos* 14:35; *João* 12:27)

Muitas vezes, também nós, sacerdotes, tentamos nos apresentar como super-homem, enquanto Jesus não faz isto. Jesus, mesmo sendo Deus e Messias, apresenta-se com toda a Sua humanidade: "Tenho medo desta hora" e o medo era tão grande a ponto de fazer que Ele suasse sangue. No *Getsêmani*, podemos achar a humanidade de Jesus no seu provar o medo.

• ***As suas tristezas***

Jesus se sente triste e o exprime muito claramente: "Minha alma está triste até a morte." (*Mateus* 26:38) Estas são as Suas palavras quando vai para o *Getsêmani*, quando enfrenta a Cruz, enfrenta a morte e diz: "Estou aflito, estou triste". Bem, Ele o disse aos apóstolos! Desta forma toda a Sua humanidade é transparente.

Para nós, sacerdotes, digo que não escandalizamos o nosso povo que nos conhece pelas nossas fraquezas, mas que apresentamos uma condição: ser humildes! A humildade é o que mais conta. Resumindo, a humildade e o nosso abandono nas mãos do Senhor. Acho que isso vale também aos pais no relacionamento com seus filhos, para quem tem a responsabilidade ou um ministério de guia.

• ***A sua solidão***

A solidão é com certeza um dos sentimentos e dos estados de ânimo mais normais e mais comuns, tanto em nós, padres, como nos leigos. Dizemo-lo muito claramente: a solidão é um estado de ânimo que todos, mais cedo ou mais tarde, provamos e provaremos, especialmente hoje, em um mundo frenético, que corre sempre com mais pressa, que não tem tempo. De fato, a frase que mais usamos é "Não tenho tempo!".

Falta-nos tempo. Falta tempo para o diálogo, falta tempo para escutar. Hoje são muitos que reclamam de não ter ninguém a quem abrir a própria alma. Também nós, talvez, o sintamos.

Faço muitos retiros para freiras e, sendo elas de clausura ou não, todas reclamam da mesma coisa: "Não tenho ninguém para me comunicar, com quem me abrir!" Os padres também têm queixas: "Não tenho com quem me comunicar; o Bispo não tem tempo para mim! Os superiores não têm tempo para mim e os irmãos estão sempre entretidos nos seus afazeres." No interior das famílias também, muitas vezes, os pais não têm tempo para escutar os filhos.

E, assim, nós todos sofremos a solidão. É uma realidade! Mas Jesus também sofria a solidão. Provavelmente, o momento mais alto de solidão Ele deve ter sofrido no *Getsêmani.* O Horto das Oliveiras nos revela, no grau maior, a figura humana, a humanidade de Jesus quando, após ter orado para o Pai, procura Pedro. Ele pára a oração ao Pai para procurar Pedro! O que Pedro poderia Lhe dar? Mas Ele tinha necessidade daquele apoio. E Jesus reclama:

> *"Então não pudestes vigiar uma hora comigo..."* (*Mateus* 26:40)

De novo, a humanidade de Jesus, a solidão, sentida tão intensamente neste momento.

• ***As raivas***

Nós temos inúmeros exemplos das raivas de Jesus. Ele fica com raiva como nós ficamos! Com os fariseus, com os escribas, com os saduceos, com os herodianos, com Pedro, com os vendedores no templo. Portanto, temos muitas circunstâncias em que Jesus fica com raiva de verdade.

Aqui, em todo caso, temos que prestar atenção: Jesus não fica com raiva por ter perdido o controle de Seus sentimentos, sobre os Seus nervos. Não, não é falta de controle de Jesus; é, ao invés, uma linguagem que Ele usa. Mas é uma raiva, uma raiva pura, demonstrando que Jesus também fica com raiva.

• ***Os seus cansaços***

Jesus se sente cansado, quando começa aquele diálogo com a samaritana. Jesus senta na borda do poço porque está cansado. (*João* 4:6)

• *Os seus choros*

Jesus chora: chora sobre Jerusalém (*Lucas* 19:41); chora na frente da tumba de Lázaro (*João* 11:35) antes de chamá-lo novamente à vida. O choro de Jesus!

Quando vou a Terra Santa (vocês sabem que qualquer peregrino se sente mais à vontade em algum lugar específico no qual possa meditar de modo melhor), o lugar em que entro em meditação mais profunda é aquele perto da capela *"Dominus flevit"*, construída em forma de lágrima, lugar onde Jesus chorou sobre Jerusalém. No local eu consigo sentir toda a humanidade de Jesus, de Jesus que chora.

• *As suas aflições (ansiedades)*

Jesus vive a aflição. Fica aflito quando vê que a messe é muita, mas os operários são poucos (*Lucas* 10:2); quando, como já podemos ver, chora sobre Jerusalém a Sua dor, passa aflição ao ver que Jerusalém não escuta a Palavra. Jesus recebe também as feridas no coração quando é beijado por Judas e lhe diz:

> *"Judas, com um beijo trais o Filho do Homem!"* (*Mateus* 26:50; *Lucas* 22:48)

Aqui é possível sentir a aflição, a dor de Jesus por ter sido traído por um dos seus.

Ou o olhar de Jesus quando fixa Pedro no pretório de Pilatos: é o olhar que mostra uma ferida que está no Seu coração (*Lucas* 22:61) por ter sido renegado pelo mesmo Pedro, o amigo mais íntimo, o amigo que levava consigo para enunciar as suas experiências de felicidade e dor. Ou também quando, esbofeteado pelo servo de Caifás, lhe diz:

> *"Por que me bates?"* (*João* 18:23)

Dá para perceber que não é a dor pelo tapa a feri-lo mais profundamente, mas o fato de sentir-se esbofeteado.

• *Os sentimentos de culpa*

Nos Evangelhos achamos todos esses momentos, como se pode ver, em que Jesus demonstra viver todas as emoções que nós vivemos.

Ouso até falar que na vida de Jesus houve um momento em que Ele teve aquele sentimento de culpa, que muitas vezes sentimos também nós. Este provavelmente é mais difícil de aceitar. Mas eu o vejo quando Jesus estava na Cruz. Jesus levava nos seus ombros todos os nossos pecados. Não eram os seus pecados, eram os nossos pecados, mas o peso do pecado estava sobre Ele. Se eu levo nos meus ombros um saco pesado, tanto faz se o saco é meu ou de um outro, o peso está sobre mim: eu levo o peso! E o peso que o pecador leva é de não se sentir amado por Deus, de se sentir abandonado por Deus.

Jesus, na Cruz, Se sentiu abandonado por Deus, Ele viveu a experiência do pecador. A experiência do pecador é: "Deus não está aqui, Ele me abandonou". E Jesus quis sofrer também esse abandono; quis experimentar o abandono, a experiência do pecador.

Portanto também Ele teve o sentimento de culpa. Jesus não tem culpas, mas levou as nossas culpas, de pecadores, na Cruz. Precisamente isso lhe proporcionou a terrível experiência de Se sentir abandonado por Deus.

3. PORQUE JESUS VIVEU OS NOSSOS SOFRIMENTOS

Como podemos ver, estamos na frente deste Deus, Homem-Deus, que é atravessado pelos nossos sofrimentos. E por que Ele faz isso?

Nós todos ensinamos (quem sabe quantas vezes o pregamos para os outros) que Jesus, morrendo, venceu a morte, que

Jesus, sofrendo, venceu o sofrimento. E eu continuo: com os Seus medos venceu os meus medos; com a Sua aflição venceu a minha aflição; com a Sua solidão venceu a minha solidão. Portanto, Jesus não venceu subtraindo-se das características humanas, mas Ele venceu vivendo-as. E, no viver o medo, vence o meu medo; no viver a tristeza, vence a minha tristeza, assim como vence a morte com a morte. Ele não venceu não morrendo, mas morrendo; e não se subtraindo ao sofrimento.

Dei alguns exemplos práticos. Vimos que Jesus enfrenta a morte com muito medo, com muita tristeza, muito desencorajado.

Mas, se olhamos para São Paulo, ele parece ser muito mais corajoso que Jesus no enfrentar a morte quando escreve: "Porque para mim o viver é Cristo, e o morrer é lucro. Mas, se viver no corpo é útil para meu trabalho, não sei então o que tenho de preferir. Sinto-me pressionado dos dois lados: por uma parte, desejaria desprender-me para estar com Cristo – o que seria imensamente melhor; mas, de outra parte, continuar a viver é mais necessário, por causa de vós..." (*Filipenses* 1:21-24)

Temos também Francisco de Assis que enfrenta a morte chamando-a de "irmã".

Muitas vezes nos deparamos com (e quem sabe quantas vezes aconteceu!) pessoas que sofrem de câncer, pacientes terminais em hospitais, sobre o leito de morte, que mostram tanta serenidade, tranqüilidade. É como se falassem: "Vem, Senhor, estou aqui, estou pronto, estou pronto para Te encontrar!"

Como pode existir tal contraste? Por que um Jesus desencorajado, triste, apavorado? E também os santos, as pessoas que sofrem que, não digo com agito, quase enfrentam a morte?

Porque a morte está redimida! Porque Jesus já redimiu a morte através da Sua morte! Aqui está o porquê Paulo dizer:

"Onde está, ó morte, o teu aguilhão?" (*1Coríntios* 15:55b) A morte já está redimida!

A morte está redimida, assim como o sofrimento. Jesus quando enfrenta o sofrimento o enfrenta quase com pânico. De verdade suava sangue, antes de poder falar: "Seja feita a Tua vontade"! (*Lucas* 22:42-44) Hoje encontramos tantas almas que enfrentam o sofrimento e o enfrentam com alguma serenidade. O sofrimento permanece, pode ser entendido, mas é enfrentado com alguma serenidade porque o sofrimento foi redimido pelo sofrimento de Cristo!

E Jesus queria redimir o meu medo, a minha solidão, a minha tristeza, os meus sensos de culpa, a minha raiva, tudo que ainda é "uma ferida" no meu coração.

Portanto, o que nós temos de fazer? O ato de redimir de Jesus não foi somente na Cruz, mas toda a Sua vida foi redimível. De fato quando Jesus sente medo, ou quando Jesus sente solidão etc., todos esses momentos humanos vividos por Ele são momentos que redimem; em todos esses momentos cumpria um ato redimível.

E os atos de Cristo são sempre atuais.

Atenção! O ato de redenção não está acabado! Tudo que Jesus fez, a remissão que Ele nos deu, não é uma coisa histórica e sim algo que ainda está acontecendo. Jesus "me redimiu'', mas Jesus "me redime hoje": não é uma coisa do passado e sim de hoje! Portanto, Jesus, por meio do Seu medo, está me salvando hoje. O que eu tenho de fazer é reconectar, conectar o meu medo com o Seu medo. De fato, em outras palavras, quando sinto medo tenho de encontrar o Cristo com medo; quando vivo a solidão, eu devo encontrar o Cristo que se sente sozinho. Devemos viver, portanto, esses eventos de Jesus que ainda estão vivos: Porque o Cristo que redime hoje, é vivo! E eu tenho de associar este meu estado de ânimo com o mesmo estado de ânimo de esteve também em Jesus.

4. ENCONTRAR O CRISTO

Nós, normalmente, dizemos: encontramos o Cristo crucificado, encontramos o Cristo ressurgido, encontramos o Cristo em Belém, talvez também na liturgia onde temos simplesmente o encontro com o Cristo que opera milagres, pois continuamente lembramos de tantos milagres; lembramos também de momentos belíssimos na vida de Jesus, como a Sua transfiguração. (*Mateus* 17:1-8) Encontramos o Cristo durante a Semana Santa em toda a Sua paixão, mas não estamos talvez ainda treinados a encontrar o Cristo que chora, o Cristo sozinho, o Cristo no Seu abandono.

Padre René Laurentin escreveu um livro belíssimo sobre Marta Robin com o título *La Passion de Madame R.* É um estudo teológico científico sobre essa mulher que era possuída pelo demônio, mas este ser possuída era um degrau na direção de uma santidade mais elevada. E, de fato, ela, apesar de todos os exorcismos é morta, possuída pelo demônio. Mas a sua possessão foi um meio de santificação: Jesus permitiu que o inimigo ficasse nela para atormentá-la; foi um grande sofrimento! Padre Laurentin diz que Marta Robin foi escolhida para viver o momento do abandono de Jesus na Cruz. É terrível viver esse momento de abandono! Uma mística que sente em toda a sua vida abandonada por Deus! É um livro muito bonito que Padre Laurentin escreveu para poder provar que muitas vezes o inimigo, propriamente com a permissão de Deus (uma permissão especial), pode entrar também em uma alma boa, em uma alma santa. Deus permite esse sofrimento porque une essa alma com o Cristo abandonado na Cruz. E muitas vezes o Senhor permite que nós vivamos um momento da Sua vida também por um período bastante extenso.

Estes momentos de Jesus: de Cristo que chora, de Cristo que sofre o abandono do Pai e que luta para dizer "seja feita a tua vontade"; de Cristo que luta, que vive a solidão, que recebe feridas dos outros...

Bem, quando nos encontramos em uma situação parecida (e todos nós já nos encontramos em uma situação de raiva ou de medo, com feridas que os outros provocam em nós, de traições, ou de solidão), em todos esses estados de ânimo que podemos viver, é importante achar o evento correspondente e misterioso na vida de Cristo. É importante nos unir a Ele, nesse momento devemos nos unir a Cristo. E, nos unindo a Cristo, ao Cristo que sofre como nós, dois podem ser os resultados:

- ou a cura da nossa ferida (o Seu medo redime o nosso medo, a Sua solidão redime a nossa solidão, e neste caso temos a cura);
- ou a força espiritual que recebemos do viver com Ele essa situação.

Porque a cura não é o ter um sofrimento e em seguida não tê-lo mais: este é um aspecto da cura. Mas há também a cura em que temos a força de sofrer com Jesus para completar o que falta à Sua paixão, como diz o apóstolo Paulo na Carta aos Colossenses. (*Colossenses* 1:24) Também o apóstolo pedia para o Senhor coisas que não recebia: quando pediu para o Senhor tirar o espinho (não sabemos o que fosse esse espinho), o Senhor disse a ele:

> *"Basta-te minha graça." (2 Coríntios* 12:9)

Portanto, o Senhor não tirou dele o espinho, mas deu para ele a graça para poder agüentá-lo. O plano de Jesus era diferente. E assim Paulo podia dizer:

> *"Porque quando me sinto fraco, então é que sou forte." (2 Coríntios* 12:10)

Bem, esses eventos na vida de Jesus são eventos ainda vivos e produzem resultados maravilhosos.

5. CRISTOTERAPIA

Qualquer pequena experiência nos ajuda a entender melhor o que falei, o que significa, portanto, pegar um acontecimento de Jesus, da *Bíblia,* e naquele momento acreditar que esta Palavra vive, porque a Palavra escrita na *Bíblia* não é história, mas é ainda viva: a Palavra é viva.

Certa vez uma mulher veio até mim, pois tinha um "medo". (Já vimos que existem diversos tipos de medo, medos diferentes.) Essa mulher tinha medo das cordas; não podia ver uma corda sem desmaiar.

Certamente tinha alguma coisa no seu passado. Era muito claro, não? Quando tinha dezesseis anos, entrando um dia no quarto do pai, encontrou-o enforcado com uma corda. Assim, ela tentava esquecer o fato, tentava enterrá-lo, mas isso voltava cada vez que via uma corda. É inútil tentar enterrar uma coisa viva; se está morta a enterramos, mas, se ainda é viva, é impossível enterrá-la porque, de uma maneira ou outra, ela surge, vem à tona.

Após ter achado a raiz do seu problema, pesquisamos no Evangelho um fato ou uma palavra que pudesse curar essa mulher. Normalmente, em muitíssimas ocasiões e circunstâncias, podemos achar no Calvário, no *Getsêmani*, ou na via do Calvário, o Cristo como nós. Assim, eu e essa mulher subimos, por assim dizer, em oração ao Calvário; vimos lá o Cristo, querendo vê-lo não crucificado, mas enforcado.

No final não faz muita diferença, porque Jesus foi condenado à pena de morte pela Cruz porque naquele tempo os romanos usavam a cruz; se Jesus tivesse sido condenado à pena de morte em uma outra cultura, em um outro tempo, Cristo teria recebido a morte por enforcamento ou qualquer outro modo.

Tentamos ver o Cristo enforcado com outros dois homens ao lado; no condenado à Sua direita vimos o pai dessa senhora.

Portanto, nesse ponto, entramos no sofrimento dessa mulher nos conectando com aquele acontecimento ainda vivo de Cristo. E, nesse preciso momento, pedimos a Jesus para dar força para ela, para fazer viver de novo aquela palavra que Jesus disse para aquele ladrão perto dEle:

"...hoje estarás comigo no paraíso." (*Lucas* 23:43)

Aquela frase: "Hoje estarás comigo no paraíso", dita para aquele homem há dois mil anos, não foi dirigida somente para ele; aquela frase foi dita para muitos outros através dos séculos.

A outra frase: "O que você quer?..." "Que eu veja, Senhor!" "Vai, a tua fé te curou" (*Marcos* 10:51-52), historicamente, foi dita para o cego de Jericó, mas através dos séculos tornou a ser viva em muitíssimas formas. E toda vez que na história um cego recebe o milagre de voltar a ver é porque aquela Palavra de Jesus volta a viver.

Todos os milagres que acontecem, todos os exorcismos que são feitos: "Sai, satanás!", não acontecem porque o exorcista tem algum poder, mas simplesmente porque aquela Palavra que Jesus falou há dois mil anos, exorcizando uma pessoa, volta a viver hoje, e, assim, cada Palavra que achamos no Evangelho volta a viver em circunstâncias especiais para pessoas especiais.

Aquilo que temos de continuar a fazer é nos conectar aos momentos de remissão na vida de Jesus. Portanto, a Palavra: "Hoje estarás comigo no paraíso", torna a viver quando oramos: e aquela mulher foi curada, completamente curada. Não sei dizer quantas vezes aquela mulher foi para o altar, em grupos de oração, para contar a sua experiência: de como o pai tinha morrido, de como foi salvo por Jesus etc., e com franqueza, com coragem, com muita espontaneidade. Por quê? Porque aquela Palavra tornou a ganhar vida para ela.

Devemos saber, portanto, nos conectar continuamente com a pessoa de Jesus e com os acontecimentos da Sua vida e com as Suas Palavras. Esta é a Cristoterapia. Dessa forma, Jesus põe a Sua mão sobre as nossas feridas!

Uma outra vez uma mulher de cerca de trinta anos me procurou. Estava muito deprimida, bastante deprimida! Mas todas às vezes que eu perguntava qual era a causa da sua depressão, o que a estava incomando, não obtinha nada! Ela não podia lembrar nada! Em um certo ponto falei: "Voltemos um pouco, quando você era pequena, veja qual é a primeira coisa que vem a sua cabeça". De impulso, ela respondeu: "Vejo-me em procissão, a caminho da Igreja para minha primeira Comunhão". "E você está em paz?", perguntei. "Não, sinto-me muito perturbada!" ela falou. "E por quê?" Neste momento lembrou de um fato que podia ser insignificante para nós, mas não para ela. Essa mulher vinha de uma família numerosa e era lógico que a mãe conservasse o vestido da mais velha para passá-lo de uma irmã para outra. Mas o fato de vestir o vestido da irmã mais velha fez que ela se sentisse rejeitada. Verdade ou não, ela lembrava que aquele vestido era amarelado, envelhecido e não amoldado! Ela sentira angústia, e por quê?

A alma do ser humano é um mistério! Já que se sentia descuidada, ignorada, não amada, dá para entender como, de menina pequena que era ela, naquela procissão, ela se sentia como se todo mundo a olhasse, todo mundo a criticasse, e que escondesse todos esses sentimentos em si mesma, sem nunca ter desabafado com ninguém, nunca! Ela era consciente que passar o vestido de uma irmã para outra era uma coisa normal, natural para famílias numerosas como a sua; mas, emocionalmente, ela sofreu com isso. Ela carregava essa tristeza pelos anos sem entender o motivo. Finalmente tínhamos achado a raiz do seu problema.

Tentei, em seguida, ver qual evento da vida de Jesus parecesse com o seu caso. Voltamos novamente ao Calvário: contemplamos o Cristo crucificado quando os soldados tiravam a sorte para ver quem ficava com Suas vestes. Nesse ponto pedimos para Jesus: "Senhor invocamos a cura pelo sofrimento que Tu tiveste na Cruz, pela poderosa força, pela grande energia que estava saindo de Ti naquele momento. Nós sabemos que Tu sofrias também para todos os tempos futuros e que, portanto, sofrias também por esta mulher de hoje". Rezamos com insistência e aquela mulher foi curada.

Ela foi curada pela energia redentora de Jesus Cristo que opera ainda, desde dois mil anos atrás. Nós simplesmente apelamos para aquele sofrimento, que redime, de Jesus, pondo este sofrimento em relação com aquela mulher.

E poderíamos dar muitos outros exemplos.

Quando tentamos recorrer aos momentos redimíveis de Jesus, nós percebemos como, de verdade, Ele pode redimir os medos, as raivas, a solidão, como, portanto, nós estamos vivendo junto a Ele os vários momentos da Sua vida, ou, melhor, como Ele está vivendo esses momentos conosco. Vimos também no início deste livro, quando falamos do sofrimento que redime, que Deus sofre conosco.

Neste momento o Deus que sofre conosco, através daquele sofrimento, sofrendo conosco, ou nos cura ou nos ajuda; de qualquer modo nos passa uma energia, uma força espiritual para podermos enfrentar nossa situação. Também esta é uma verdadeira cura.

Quando o sofrimento, em vez de nos levar ao desespero, leva-nos a uma vida de união com o Senhor, nesse momento estamos tendo uma experiência mística! Todos podemos tê-la, segundo a nossa originalidade e segundo o projeto que Deus tem para cada um de nós.

Oração:

Possas, Tu, Senhor, tocar cada um dos nossos estados de ânimo por meio dos múltiplos aspectos redimíveis que nos ofereceu com a Tua vida na Terra; uma vida vivida dois mil anos atrás, mas espiritualmente viva ainda hoje. Amém.

Capítulo IX

O Inimigo

1. CURA LIBERTADORA

Uma outra dimensão da cura, após ter falado da dimensão espiritual, física e psíquica, é a dimensão da cura libertadora, vale dizer a libertação obtida com a oração de libertação. Em outras palavras, trata-se da luta espiritual que empreendemos contra o inimigo, o diabo, que, como fala a Primeira Carta de Paulo, é um leão que anda ao nosso redor, tentando nos confundir, tentando nos vencer. Como vocês sabem, Paulo, na *Carta aos Efésios* (*Efésios* 6:12) afirma que a nossa luta não é contra as forças humanas, mas contra as forças das trevas. Por outro lado, Paulo, na *Carta aos Colossenses* (*Colossenses* 2:15), diz que Jesus já venceu o inimigo e que fez dos principados e das potestades um "espetáculo", portanto, nós estamos lutando contra um satanás já vencido. Ouso dizer que satanás, tendo sido já vencido, não pode mais ser vencido e ele sabe disso. Mas age sobre nós com superioridade, trabalhando em cima do nosso medo, sabendo que possuímos uma armadura e armas mais fortes que ele. Estas coisas ele sabe.

Satanás age, principalmente, sobre o nosso medo para nos induzir a pensar que nós não somos fortes. Se começamos a nos apavorar, se começamos a pensar que ele é mais forte que nós, podemos, desta forma, sim, sair vencidos. Naturalmente ele é um ser extremamente inteligente; por outro lado, nós temos armas contra as quais ele não pode fazer nada: o Espírito Santo, a Igreja, Maria, os Sacramentos, especialmente a Eucaristia e o Sacramento da Reconciliação, a oração, sobretudo a oração de louvor, e enfim os sacramentais. Todas essas armas são nossas. Sem essas armas nada podemos, mas com elas temos toda a possibilidade de vencer o adversário.

2. EXISTÊNCIA DO MALIGNO

São João na sua Primeira Carta, no capítulo 3:8, diz que Jesus veio precisamente para vencer o inimigo: "para destruir as obras do diabo". Não me deterei para demonstrar a existência do diabo, apesar de, infelizmente, na época de Paulo VI (anos 70), existirem alguns teólogos que tentaram nos fazer entender que a luta existe, mas é entre o bem e o mal, e não a luta entre Deus e o diabo.

Esses teólogos queriam nos fazer acreditar que o diabo não é uma pessoa, mas a personificação do mal. Lembremos dos famosos discursos do Papa Paulo VI realizados por ocasião de algumas alocuções e audiências de quarta-feira, quando condenou essas idéias no seu Credo, afirmando muito claramente que o inimigo é uma pessoa. Devemos acrescentar que se tivéssemos de pesquisar nas Sagradas Escrituras todos os textos relativos ao diabo acharíamos mais referências ao diabo que ao Espírito Santo!

Provas da existência do diabo nas Sagradas Escrituras existem quantas queiramos, mas esses teólogos, especialmente alemães, holandeses e alguns italianos (como G. Franzoni no seu livro *O diabo, meu irmão*, publicado em 1986), interpretaram todos esses casos da Escritura como se Jesus estivesse adaptado à mentalidade da época. Mas dizer que Jesus queria se adaptar à mentalidade da época, com a conseqüência de nos fazer sair fora da estrada, não penso que seja muito lógico! Em todo caso é também verdadeiro que não podemos colocar o diabo no centro da nossa mensagem cristã (e infelizmente existem pessoas que colocam demasiadamente o diabo praticamente no centro, já que falam mais do diabo que de Cristo; isso é ruim). Cristo é o centro da mensagem cristã. A doutrina sobre o diabo não é uma doutrina central porque o centro é sempre Cristo. Mas o diabo é uma realidade que não podemos ignorar. No final, a ignorância sobre ele é o que o diabo mais quer.

3. QUATRO FORMAS DE VER O DIABO

Existem quatro tipos de pessoas, que vêem de forma diferente o diabo.

– O tipo que vê diabos em todo lugar. Mesmo para coisas mínimas: "Aí está o diabo!" Encontramos, atualmente, esse modo de pensar em muitas pessoas, pois, se algo não dá certo, o comércio vai mal, enfim há qualquer coisa de errado, já pensa em feitiço, diz que o diabo está ao redor delas, que necessitam de um exorcismo etc. São evidentemente exageros.

– O tipo de pessoas para as quais o diabo simplesmente não existe. O diabo é um produto cultural e nada mais, uma personificação do mal. Nessa categoria se incluem os teólogos de que falamos anteriormente.

– O tipo que crê, sim, na existência do diabo, mas somente em teoria. De fato elas o ignoram totalmente, nunca falam dele, não atribuem a ele nenhuma iniciativa. Isto é muito cômodo para o diabo porque, quando é ignorado, ele pode agir muito mais facilmente e sem ser incomodado.

– O tipo das que acreditam de verdade na existência do diabo, que lutam contra ele, mas consideram o Cristo como o centro, seja da teologia como da vida.

Apesar de o diabo ter sido vencido, ele está ainda fazendo de tudo para destruir o Reino de Cristo. A sua batalha não é, principalmente, contra nós, mas contra Cristo. É contra nós porque somos filhos do Reino; atacando os filhos do Reino o diabo está atacando o Reino de Cristo para enfraquecê-lo. Isso é o que motiva o inimigo. Para uma pessoa que está na caminhada da fé o diabo não deve dar medo. Ao contrário, é ele quem precisa ter medo de nós e isto por uma razão muito simples: porque ele vê que tudo que Jesus reservava para ele, no início da criação, Jesus agora deu para nós. Toda aquela graça, aquela glória que era para ele quando era Lúcifer, o anjo da luz, agora a vê em nós. E o diabo vê em nós pessoas fracas, por um lado, mas fortes por outro, por causa daquela armadura que nos protege e pelas armas que temos em mãos. Desta forma o diabo tem medo do Filho de Deus e tem medo de modo especial do sacerdote. Porque o sacerdote é um "Ordenado".

O sacerdote tem, como parte da sua ordenação, como uma das incumbências recebidas na ordenação, de estar na primeira fila para defender o rebanho do inimigo. Certamente o diabo tem medo de nós, sacerdotes, também pelas armas que temos, especialmente o Sacramento da Reconciliação e a Eucaristia. O Sacramento da Reconciliação é um instrumento de luta mais forte do que o exorcismo, porque se no exorcismo temos um sacramental, nele temos um Sacramento. Na celebração do Sacramento da Reconciliação, a pessoa passa de um lado para o outro: renuncia à escolha que fez a favor do diabo e aceita novamente Cristo na sua vida. Este é o momento mais forte da derrota do diabo.

Nós, sacerdotes, tendo nas nossas mãos este Sacramento, somos chamados a usá-lo seja para nós mesmos, quando nos confessamos, seja para aqueles que vêm até nós para receber o perdão, a Reconciliação. O diabo, portanto, de um lado tem medo de nós, e do outro faz de tudo contra nós, por ódio.

O diabo nos odeia, tem ciúme de nós. Ele tem um grande ódio, um grande ciúme de nós. Ciúme porque vê que a promessa ligada à tentação sugerida a Adão e Eva ("Comei e sereis como deuses''), certamente por sarcasmo, agora realmente efetivada em nós, dita para enganá-los, mas pelo Senhor nos tornou dignos e nos transformou em filhos de Deus. Isso cria no diabo muito ciúme e ódio.

É muito importante manter bem presente este simples fato, mas que tem resultados muito curiosos: o diabo nos odeia!

Quando o diabo nos oferece coisas boas é por ódio, não por amor! Dou um exemplo. Imaginemos que uma pessoa vai até um feiticeiro porque necessita de uma cura física. Bem, o diabo pode fazer também prodígios, o diabo pode fazer também curas. Esta não é uma coisa nova porque já São Agostinho nos avisava: "Quando tu vês os milagres saiba que realmente, teologicamente, estes são obras de Deus. O diabo faz prodígios e não milagres". Digo isto para ser teologicamente correto, mas muitas vezes quando assistimos a um prodígio, ou a um milagre, não vemos diferenças. Mas São Agostinho escreve: "Quando tu vês na tua frente um milagre, um prodígio, tu tens que achar a fonte de onde vem, porque a coisa é boa não por aquilo que você vê, mas em função da fonte de onde vem".

Um outro exemplo ainda. Se fazemos prece para uma cura, e o Senhor opera uma cura, devemos lembrar que isto é um ato de Amor para a pessoa que o recebeu e leva consigo somente resultados bons. Se, ao invés, alguém vai a um feiticeiro (não falamos de charlatães, falamos de autênticos feiticeiros, de praticantes da magia que muitas vezes se dirigem ao inimigo ao qual pedem o seu poder) e recebe uma cura, ele a recebe do diabo, pelo poder do diabo, por ódio, porque o diabo odeia. O diabo nunca pode amar o homem, nem os participantes de seitas satânicas, os seus adeptos; não pode amá-los! Os diabos entre si se odeiam, existe um grande ódio entre os diabos. Um pouco de amor no inferno apagaria todo o inferno, mas lá somente existe ódio, mesmo entre os demônios. Portanto, quando o diabo oferece ao homem alguma coisa que parece boa, por exemplo, uma cura, ela acaba em um desastre.

Normalmente o que acontece é uma espécie de passagem: da doença física, de que você se cura, passa à doença psíquica; a doença psíquica, uma vez curada, passa à doença espiritual... Em suma, a doença não sai da pessoa, mas passa de um estado para outro.

Achamos muitas vezes pessoas, também sacerdotes, que falam: "Mas o resultado é bom!"; mas qual resultado? Qual é o resultado? Qual é o fruto? Bem, sabemos que uma vez Jesus, em *Mateus*, diz:

> *"Muitos me dirão naquele dia: Senhor, Senhor, não pregamos nós em vosso nome, e não foi em vosso nome que expulsamos os demônios e fizemos muitos milagres? E, no entanto, eu lhes direi: Nunca vos conheci. Retirai-vos de mim, operários maus!"* (*Mateus* 7:22-23)

Porque não o fizeram com o Seu poder e sob a Sua obediência, mas o fizeram com o poder de um outro, portanto não os conhecia.

Devemos prestar atenção, desta forma, na fonte, e não no resultado aparente. Se a fonte é o inimigo, o inimigo é ódio, o inimigo nos odeia, portanto, não pode nos oferecer nada por simpatia por nós. Podem ter certeza! Bem, o Senhor veio entre nós, Ele veio, diz São João, para vencer o inimigo. E o diabo fez de tudo para tentar Jesus e evitar ser derrotado. O que o diabo fez com Jesus foi tentar impedi-lO de ir para a Cruz. Aí nós encontramos o diabo diante de um dilema.

Por um lado, ele é feliz por ver Jesus humilhado, na Cruz, Jesus esbofeteado, Jesus, dizemos assim, falido na Cruz e isso lhe dá um grande prazer (tanto é verdadeiro que a Sexta-Feira Santa, para os seguidores de satanás, é o dia mais precioso; na Sexta-Feira Santa são celebradas missas negras e se faz festa, porque é o dia da humilhação de Jesus na Cruz).

Por outro lado, o inimigo fez de tudo para que Jesus não fosse para a Cruz, sabendo que a Cruz seria a sua derrota.

Vejamos, por exemplo, quando o diabo tenta Jesus quando Ele jejuava, antes de começar a Sua vida pública. Eis a primeira tentativa do diabo para induzir Jesus à desobediência ao Pai. Atenção! Isso é uma coisa importante! Devemos estar atentos com a desobediência!

Satanás tentou Adão e Eva à desobediência. Fez o mesmo com Jesus quando Lhe pediu para transformar as pedras em pão. Jesus, tendo o poder para fazê-lo (Ele que em seguida mudou a água em vinho e multiplicou os pães), não o fez porque era o diabo a pedir para fazê-lo, e não o Pai.

Devemos estar atentos! Não basta dizer: Aquilo que estou fazendo é bom, mas devo me perguntar: quem me diz para fazê-lo? Porque se aquilo que eu faço o faço em desobediência, ainda que seja bom em si mesmo, não é bom pelo fato de que o fiz em função do meu egoísmo, da minha obstinação, ou de qualquer coisa que valha! É claro! O nosso dever é de sempre discernirmos acerca do que Deus quer. Sobre isso, me impressiona muito um texto bastante interessante encontrado nos *Atos dos Apóstolos,* capítulo 16:6-10.

Alguém pode pensar que a evangelização não seja uma coisa boa? Mas encontramos aí o Espírito Santo proibindo a Paulo de evangelizar.

"Atravessando em seguida".

(Aqui se trata de Paulo e Silas.)

"...a Frígia e a província da Galácia, foram impedidos pelo Espírito Santo de anunciar a palavra de Deus na (província da) Ásia. Ao chegarem aos confins da Mísia,

(E estas são viagens que certamente não seriam feitas em um dia de avião!)

"...tencionavam seguir para a Bitínia, mas o Espírito de Jesus não o permitiu. Depois de haverem atravessado rapidamente a Mísia, desceram a Trôade".

(Passavam de um país para o outro e o Espírito Santo, o Espírito de Jesus, proibia-os de evangelizar.)

De noite, Paulo teve uma visão: um macedônio, em pé, diante dele, rogava-lhe: Passa à Macedônia, e vem em nosso auxílio! Assim que teve essa visão, procuramos partir para a Macedônia, certos de...

(aqui está o discernimento.)

"...que Deus nos chamava a pregar-lhes o Evangelho." (Atos dos Apóstolos 16:6-10)

Por que na Macedônia e não na Frígia? E não na Bitínia? E não na Mísia? E não na Ásia Menor? Portanto, a coisa é boa em si mesma e porque o Senhor me pede para não fazê-lo. Nas tentações do deserto o diabo está dizendo ao Senhor para fazer coisas boas, para mudar a pedra em pão, mas não é Deus que ordena.

Temos em seguida a segunda tentação: Quando o diabo fala para Jesus: "Vê Jerusalém e todas as cidades em torno? São minhas!" O que o diabo quer dizer proclamando: "Esta cidade é minha"? Quer dizer que naquela cidade se faz o que ele fala. Se uma fábrica é administrada de modo iníquo, corrompendo, roubando etc., o diabo pode falar: "Esta fábrica é minha!" Se em um local noturno se faz o que não tem que ser feito, o diabo pode falar: "Isto é meu!"

Lembremos de quando São Francisco fez o exorcismo de Arezzo, de uma cidade inteira! São momentos em que o diabo diz: "Isto é meu porque as pessoas, na sua maioria, estão fazendo o que eu quero". E olhem a proposta do diabo: "Estou pronto a sair de todas estas cidades, estou pronto para dar-te todas estas cidades! Para redimir estas cidades, para controlar novamente estas cidades... está bem! Eu te faço uma proposta: não precisas ir para a Cruz, não precisas sofrer toda a paixão, estou pronto a sair a partir deste momento. Dou-as para ti com uma condição: adorar-me, obedecer-me!" O diabo O tentava à desobediência ao Pai. "Estou pronto a te dar tudo!"

O diabo está pronto a nos dar tudo, mas sob uma condição: de não obedecermos a Deus. Sim, está pronto a nos dar também os carismas, porque ele os tem. Mas o Senhor fala que haverá um dia em que veremos muitos a fazer milagres... e fala do anticristo, que não existe somente no final dos tempos; os anticristos os temos sempre ao nosso redor, com muitas pessoas fazendo milagres ou pelo menos prodígios. O diabo pode nos dar tudo, mas temos que desobedecer a Deus. Em seguida temos o momento em que o diabo leva Jesus ao cume do templo e diz a Ele: "Joga-te para baixo!", cita a Sagrada Escritura (ele sabe também citar a *Bíblia*: São Giácomo diz que o diabo conhece a *Bíblia* de cor, mais do que nós, e que sabe citá-la também melhor que nós), cita o *Salmo* 91 onde diz:

> *"Ordenou aos seus anjos a teu respeito... E que te sustivessem em suas mãos."* (*Lucas* 4:9-11)

E Jesus responde: se é o Pai a pedi-lo, assim os anjos virão, mas se é você que o pede, os anjos não virão. Devo obedecer a Deus e não a você. O Senhor manterá a Sua palavra, quando fazemos a Sua vontade, não quando fazemos o que nos pede o inimigo. Como podem ver, o diabo fez de tudo para tirar Jesus da Sua paixão. Lembrai-vos de quando o diabo faz Pedro dizer: “Que Deus não permita isto, Senhor! Isto não te acontecerá!” Como podem ver, o diabo estava lá, não querendo que Jesus fosse para a Cruz: “Que Deus não permita isto, Senhor! Isto não te acontecerá! Mas Jesus, voltando-se para ele, disse: “Afasta-te, Satanás! Tu és para mim um escândalo.” (*Mateus* 16:23)

É novamente o diabo que empurra o povo após a multiplicação dos pães a proclamar Jesus rei e Ele foge sozinho.

Sem dúvida para Jesus, humanamente falando, era mais fácil tornar-se rei que ir para a Cruz. O diabo continua tentando até o último momento, quando na cruz o ladrão fala:

> *“Se és o Cristo, salva-te a ti mesmo e salva-nos a nós!”* (*Lucas* 23:39)

Depois de tudo, aquele pobre ladrão não estava falando nada de estranho, não! “Se tu podes fazê-lo, por que não o fazes? Assim tu salvas a ti mesmo e a nós”. Praticamente, era o inimigo que até no último momento tentava impedir Jesus de completar a oferta da vida para Seu Pai.

O inimigo, portanto, fez de tudo para não ser derrotado, mas Jesus o derrota e o humilha. Por que o humilha? Humilha-o porque estende a Sua autoridade também sobre os apóstolos e os discípulos. Eles de fato, quando voltam da primeira evangelização, cheios de felicidades falam:

> *“Senhor, até os demônios se nos submetem em teu nome!”* (*Lucas* 10:17)

E Jesus:

> *“Vi Satanás cair do céu como um raio... Contudo, não vos alegreis porque os espíritos vos estão sujeitos, mas alegrai-vos de que os vossos nomes estejam escritos nos céus.”* (*Lucas* 10:18-20)

A Sua autoridade, antes de subir ao céu, Jesus a distribui para todos que crêem. De fato em Marcos achamos:

> Estes milagres acompanharão os que crerem: expulsarão os demônios em meu nome." (*Marcos* 16:17)

Portanto, a autoridade sobre o inimigo é dada não somente aos Bispos, sucessores dos Apóstolos, não somente aos poucos que os Bispos escolhem como exorcistas, mas a todos os discípulos e a todos os que crêem!

Explicarei, mais adiante, como usar essa autoridade cujo exercício na Igreja Católica é restrito somente aos pastores e exorcistas reconhecidos. Até os primeiros três séculos, o ministério do exorcismo era para todos na Igreja. Em seguida a Igreja Católica restringiu-o por razões de abuso, mas isso não aconteceu para a Igreja ortodoxa. Nesta Igreja, assim como nas igrejas protestantes, evangélicas e pentecostais que seguem o texto de Marcos supracitado, todos os leigos são exorcistas. Obviamente nós, católicos, devemos nos ater às diretrizes da Igreja. Dá para entender porque, ao desobedecermos, o diabo festeja, porque ele vive tentando para que não obedeçamos; mas nesse caso perderíamos todo o poder que nos foi dado.

Sabemos, por meio da *Primeira Carta de São Pedro* (*1 Pedro* 5:8), que o diabo é como um leão que tenta nos devorar: Portanto todos estamos na luta, uma luta que é ainda mais acirrada para aqueles que trabalham para o Reino de Deus; para aqueles que estão já dentro do campo do diabo, a luta é menos dura. Muitas vezes, portanto, são mais atacados aqueles que estão na graça de Deus, aqueles que trabalham para o Reino de Deus, aqueles que aceitam Jesus na sua vida. Os outros, aqueles que já estão no campo do diabo, ele tenta mantê-los, tratá-los bem para que permaneçam com ele. Nós, portanto, ao entendermos um pouco a sua tática, sabemos que a derrota do inimigo acontece quando conhecemos mais as suas fraquezas.

4. AS FRAQUEZAS DO DIABO

As fraquezas do diabo, as três grandes fraquezas, as coisas que ele mais teme são: a oração de louvor, a obediência e a humildade.

A oração de louvor

O diabo não suporta o louvor e isso por algo muito simples: Lúcifer, ou "portador de luz", transformou-se em satanás exatamente por não querer louvar a Deus. Isso é óbvio! Portanto, o louvor para ele é muito forte e pesado. Se nós queremos lutar contra o diabo, não temos outra coisa a fazer se não começar a louvar a Deus. Existem fiéis leigos que dizem: "Mas, eu tenho medo!"

Se você conhece uma pessoa que precisa de ajuda nem sempre é necessário que você faça orações de libertação. Se existe um grupo de irmãos que rezam juntos, comecem a louvar a Deus ignorando o inimigo, e o louvor lhe incomodará de tal modo que ele fugirá.

Uma pergunta que é feita nos dias de hoje é esta: "Por que o diabo se apresenta mais hoje que nos tempos passados?" Houve um tempo em que o diabo trabalhava escondido, ignorado por todos. Primeiro, através dos pentecostais; depois, pelos evangélicos, seguidos pela Renovação Carismática Católica, foi assim que se começou a falar mais no diabo.

Até pouco tempo atrás existiam pouquíssimos ou quase nenhum exorcista, não porque não existissem pessoas que necessitavam, mas porque ninguém percebia essa necessidade. Hoje é diferente. E qual é a razão de o diabo parecer mais ativo nestes últimos tempos? Acho pelo grande louvor que está sendo feito: ele não o suporta! Poderia ser como o rato escondido em um buraco; você joga água quente e, não podendo suportá-la, é obrigado a sair do buraco. O louvor faz sair o inimigo! Toda essa luta que o diabo trava, hoje, não é mais forte do que antes, mas, provavelmente, porque é mais fraco. Porque graças a todo esse louvor que é feito, especialmente em grupos de oração, por meio desses movimentos espirituais (em particular o movimento carismático), o diabo perde o controle, não sabe o que fazer. Nós temos que continuar a lutar por meio do louvor.

A obediência

A segunda coisa que o diabo teme de verdade é a obediência. Por quê? Porque ele é o desobediente. Desta forma, tudo que ele sugere é a desobediência, sugere continuamente a desobediência! Nós, sacerdotes, em particular, devemos estar muito atentos porque é fácil cair nessa cilada do inimigo.

A humildade

A terceira coisa temida pelo diabo é a humildade. Ele sugere o "poder". No final das contas o diabo é aquilo que é, o satanás, porque queria ter mais poder. O oculto, o culto a satanás, o espiritismo, a Nova Era, tudo isso é baseado na necessidade de poder. Estes são os campos onde o diabo pode trabalhar mais, sem nenhuma dificuldade, porque lá se oferece o poder, e lá o homem suplica, grita pelo poder. Portanto, a humildade é uma arma muito forte contra o diabo. O diabo não teme um exorcista que grita, mas teme um exorcista humilde!

Certa vez um exorcista fez uma pergunta para o diabo: Por que você tem pavor de Maria? Devemos prestar muita atenção às respostas que o diabo dá porque é tudo falsidade, é tudo mentira; mas às vezes o Senhor o obriga a falar alguma coisa de verdadeiro e, nessa vez, ele disse alguma coisa verdadeira... "Tenho muito pavor daquela mulher, da sua grande humildade". O diabo não suporta humildade.

A humildade é uma virtude que o diabo teme mais que nós, propriamente porque a humildade vai contra a sua natureza: ele é soberbo, ele é orgulhoso, ele é poderoso, ele é quem faz o que quer. A humildade, ao contrário, vai contra tudo isso.

Conseqüentemente (e isto dizemos não somente para o ministério da libertação, mas também para o ministério da cura e para cada outro ministério), cada ministério por nós exercitado busca força na humildade. Paulo IV dizia: "Agora a única coisa que pode salvar o mundo é a humildade!"

Termino este capítulo com o *Salmo* 90 e peço para você, leitor, declamá-lo e torná-lo seu. Este salmo eu gosto de sugeri-lo para muitos momentos de nossa vida: quando somos tentados, quando estamos na luta, porque é um Salmo que nos ajuda na oração a Deus, para sermos protegidos das investidas do inimigo.

Salmo (91)90

Tu que habitas sob a proteção do Altíssimo,
que moras à sombra do Onipotente,
dize ao Senhor:
Sois meu refúgio e minha cidadela,
meu Deus, em que eu confio.

É ele quem te livrará do laço do caçador,
e da peste perniciosa.
Ele te cobrirá com suas plumas,
sob suas asas encontrarás refúgio.
Sua fidelidade te será um escudo de proteção.

Tu não temerás os terrores noturnos,
nem a flecha que voa à luz do dia,
nem a peste que se propaga nas trevas,
nem o mal que grassa ao meio-dia.

Caiam mil homens à tua esquerda
e dez mil à tua direita,
tu não serás atingido.

Porém verás com teus próprios olhos,
contemplarás o castigo dos pecadores,
porque o Senhor é teu refúgio.

Escolhestes, por asilo, o Altíssimo.

Nenhum mal te atingirá,
nenhum flagelo chegará à tua tenda,
porque aos seus anjos ele mandou
que te guardem em todos os teus caminhos.

Eles te sustentarão em suas mãos,
para que não tropeces em alguma pedra.
Sobre serpente e víbora andarás,
calcarás aos pés o leão e o dragão.
Pois que se uniu a mim, eu o livrarei;
e o protegerei, pois conhece o meu nome.

Quando me invocar, eu o atenderei;
na tribulação estarei com ele.
Hei de livrá-lo e o cobrirei de glória.

Será favorecido de longos dias,
e mostrar-lhe-ei a minha salvação.

Este é um salmo que é bonito oferecer para quem se encontra um pouco atormentado, sugerindo a ele declamá-lo durante o dia, durante as tentações, porque, com certeza, é um salmo de confiança: “eu o livrarei!” O Senhor nos faz esta promessa e nós confiamos nEle.

Capítulo X

Luta Espiritual

1. OS ATAQUES DO INIMIGO

O diabo usa cinco formas para atacar o homem. Tentarei explicar, resumidamente, estes cincos modos, que são:

- Tentação;
- Opressão;
- Vexação;
- Infestação;
- Possessão;

Tentação

Sobre a tentação existe pouco a ser dito porque todo mundo tem uma experiência direta. A tentação verifica-se quando o diabo tenta você a fazer o que não tem de ser feito, ou que você não faça o que tem de fazer. É sempre uma questão de obediência a Deus.

Uma coisa a se manter bem em mente é que nem toda a tentação vem do diabo. Isso falou muito claramente Paulo VI em um dos seus famosos discursos de 1972, que fizeram muito barulho nos jornais. O Papa falava muito claramente que nem sempre em toda tentação existe o dedo do diabo: muitas vezes a tentação vem de um irmão seu que sugere que você não obedeça, ou sugere a você fazer o que não deve ser feito. Ou pode provir do seu caráter, das pessoas ao seu redor talvez, e nestas tentações, pode existir, talvez indiretamente, a presença do inimigo. Mas nem toda tentação vem diretamente do diabo. Não me prolongo sobre a tentação. A nossa própria natureza ferida pelo pecado nos sugere fazer o mal, pelo qual somos atraídos.

Opressão

Uma segunda forma de ataque, mais interessante, e também mais comum, se bem que não se fale sobre ela, é a opressão. Muitos a chamam de "obsessão"; pessoalmente não gosto, para não a confundir com o termo obsessão usado na psiquiatria, onde o termo significa "fixação".

Opressão significa que o diabo, como bom lutador, achando o ponto fraco da minha personalidade dirige o seu ataque nessa direção: poderia ser o poder, se eu tenho uma grande propensão ao poder, poderia ser a ambição, poderia ser o ciúme, o ser muito apegado ao dinheiro, um apego mórbido ao trabalho, ao sexo, à sensualidade, à rebelião etc... Cada um de nós tem um ou mais pontos fracos na sua natureza. Às vezes a tática do inimigo é a de nos deixar agir em nossas coisas boas. Quer rezar? Reze; portanto não somos tentados para rezar. Quer fazer bem para os outros? Faça; não somos tentados contra a caridade ao próximo. Deste modo o diabo me deixa fazer coisas boas, dedicando-se a concentrar toda sua força na direção do meu ponto fraco. É aqui que entra o valor da oração de libertação.

Para nós, sacerdotes, muitas vezes é bom praticar aquilo que podemos chamar de auto-exorcismo. Quando percebemos ser atacados particularmente neste ponto fraco, em nome de Jesus ordenamos ao diabo para nos deixar; o diabo do orgulho, o diabo do ciúme, o diabo do sexo; portanto o diabo que nos ataca no nosso ponto fraco da personalidade acaba por nos bloquear em toda as outras coisas.

São João da Cruz diz: "Um pássaro retido por uma corrente ou por um fio não voa".

Qualquer um pode se sentir bem, calmo e tranqüilo pelo simples fato de não ter nada que o prenda e desde que tudo esteja correndo bem. Entretanto, não nos apercebemos que ainda que estejamos presos por um só fio, somos bloqueados em inúmeros pontos de resistência, por exemplo, no serviço para os outros, no uso dos carismas, porque este aprisionamento nos enfraquece espiritualmente. Desta forma, o Espírito Santo não pode nos usar como quer porque estamos presos a este fio e o diabo o sabe bem. Portanto, ataca-nos sempre sobre esse ponto fraco da nossa personalidade.

Daí a necessidade de fazer o auto-exorcismo.

Vejam bem que o auto-exorcismo pode ser feito por todos os fiéis leigos, porque também eles possuem o poder de ordenar ao diabo que vá embora, mas só quando se trata de um ataque a si mesmo. O fiel leigo não deve se dirigir diretamente ao diabo quando se trata de rezar por uma outra pessoa. Quando se trata de rezar por si mesmo ele é mais livre para mandar. Deve usar sempre em nome de Jesus, porque é o nome de Jesus que apavora, que aterroriza o diabo.

Cada pessoa, portanto, cada fiel, pode fazer este auto-exorcismo especialmente quando percebe ser atacado em um ponto fraco da sua personalidade. Esse tipo de ataque é o que chamamos de opressão.

É bom lembrar de tudo isso especialmente quando procuramos amparo no Sacramento da Reconciliação, se queremos que seja frutífero ao máximo. A graça desse Sacramento, de fato, não consiste somente no perdão do pecado, mas também na cura e na libertação. É também um Sacramento que dá força em vista de lutas futuras.

Obviamente nós, sacerdotes, não podemos enfrentar todas essas opressões quando temos uma fila de penitentes esperando se reconciliar; devemos ser práticos. Nesses momentos não podemos fazer muito mais!

Quando falamos com uma determinada pessoa que dirigimos espiritualmente, isto é, uma pessoa que faz uma caminhada de fé, juntamente com a absolvição podemos fazer também uma prece de cura para as raízes do pecado. Podemos fazer também uma oração de libertação para lutar, para expulsar o diabo que ataca o nosso ponto fraco. Não são todas as vezes que devemos recorrer às dimensões da cura, da libertação, do perdão e da oração ao Espírito Santo para ajudar o penitente a enfrentar o futuro. É bom que seja feito quando vemos a oportunidade ou a necessidade de vencer o inimigo que oprime determinada pessoa.

O campo de batalha mais forte e a maior derrota do inimigo é o Sacramento da Reconciliação, muito mais que a oração litúrgica do exorcismo porque esse é um Sacramento que o Senhor deu para a derrota total do diabo.

Ao administrar o Sacramento da Reconciliação, cada sacerdote é um exorcista "*ex-officio*", porque se nem todos os sacerdotes são escolhidos para fazer a oração litúrgica do exorcismo como sacramental, todavia é próprio que todos nós, sacerdotes, somos chamados a fazê-lo. Este é o momento certo para a oração de libertação, especialmente quando se trata de opressão.

Normalmente em todos os penitentes, especialmente naqueles que fazem uma caminhada de fé, existe esse ataque de opressão por parte do inimigo. Porque o inimigo tenta fazer cair quem está fazendo uma caminhada de fé, atacando por intermédio da opressão.

Vexação

O terceiro modo é a vexação que acontece quando o inimigo ataca pessoas superiores. Temos os casos de Padre Pio, por exemplo, quando o diabo às vezes tremia a cama dele e fazia todo aquele teatro (mas um grande espetáculo!), o do Cura D´Ars ou de Dom Bosco. Todos esses santos viviam momentos em que o diabo os incomodava durante o dia ou durante a noite e, às vezes, com grandes sofrimentos.

Naturalmente devemos ficar muito atentos porque muitas pessoas vêm até nós, sacerdotes, para nos contar que existe alguém que lhe puxa as pernas; alguém que lhe tira a coberta etc. Enfim, prestemos bastante atenção em não acreditar em tudo que nos falam e não é porque querem nos enganar, mas porque é fantasia, é alucinação, é ilusão, usam de brincadeiras más. E, neste caso, temos que ser muito cautelosos antes de acreditar que se trata de uma vexação por parte do inimigo. Mas a vexação existe realmente, bastando ler a vida dos santos, e veremos quando a vexação é uma realidade.

Infestação

A infestação acontece quando o diabo tenta incomodar não a pessoa, mas seus objetos e locais onde ela vive. E, desse modo, temos, por exemplo, a infestação da casa com barulho, tendo sensações estranhas, peso, ou, às vezes, infestações dos animais de propriedade da pessoa... Também, nestes casos, devemos ser prudentes, porque muitos vêm pedir para abençoar suas casas dizendo ver ou sentir estranhos fenômenos; devemos ser cautelosos na análise desses fenômenos, não excluindo a possibilidade de serem verdadeiros.

Para se ter uma idéia de como às vezes os fenômenos anormais podem ser explicados, de forma natural, sem se pensar imediatamente no sobrenatural ou no paranormal, será bom tecer alguns comentários sobre o chamado *"poltergeist"*.

Relato um fato acontecido ao meu Bispo há cerca de mais ou menos quinze anos.

Apresentaram a ele um caso particular: em uma casa aconteciam fenômenos paranormais; o Bispo não acreditava muito nesses fenômenos! Dessa forma convidou essa família para vir até sua sede. Mas enquanto essa família, casal e dois filhos, se encontrava na sede episcopal, aconteceram fatos estranhos a ponto de apavorar o Bispo: uma chave de um grande portão que o Bispo tinha tentado achar, sem sucesso, fazia tempo, começou a correr pelo chão caindo perto dele; em seguida, gavetas de um armário começaram a se abrir, e assim continuou. O Bispo ficou com medo, naturalmente e com razão. Eu, no seu lugar ficaria apavorado! Em seguida os enviou novamente para casa. Mas eles insistiam: "O que vamos fazer?": "Bem, vou com vocês até sua casa e veremos o que acontece!", disse o Bispo.

Chegando na casa da família aconteceram coisas estranhas ainda piores que na sede do Bispo: faca que voava e passava perto do rosto do Bispo, assim como outras coisas parecidas; gavetas que se abriam etc.

Em seguida o Bispo foi procurar pareceres de pessoas que conheciam um pouco dessas coisas, experientes naquilo que se chama *"poltergeist"* – palavra alemã que significa espírito rebelde. A teoria científica que estuda esses fenômenos demonstra que em casos como esse não se trata de nenhum espírito diabólico, pode se tratar de um fenômeno ligado a fatores humanos.

Por exemplo, se tem um garoto ou uma garota na idade da puberdade (e neste caso aqui narrado havia um garoto no início da puberdade) pode acontecer que nesse período da sua vida ele ou ela fique com sua força magnética descontrolada e, portanto, determinados objetos comecem a se movimentar na sua presença. Por isso, os peritos pediram ao Bispo: "Tente tirar o garoto adolescente do ambiente e veremos o que vai acontecer". E não aconteceu mais nenhum fenômeno paranormal! Quando o garoto saiu da sua puberdade não aconteceu mais nenhum fenômeno estranho.

Também uma pessoa cheia de tensões pode produzir uma força magnética capaz de gerar fenômenos similares aos descritos acima: são tensões que se externam exercendo influência no campo magnético. São coisas que hoje podem ser explicadas cientificamente e falo delas para que, em presença de acontecimentos paranormais, não se conclua precipitadamente que se trata do diabo.

Com isto não excluo que o diabo possa verdadeiramente infestar (esta é uma palavra técnica) animais, objetos ou coisas pertencentes à pessoa a fim de incomodar, tirando a tranqüilidade.

Possessão

E chegamos ao quinto ponto que é a possessão. Provavelmente muitos sabem o que é. A possessão acontece quando o diabo toma, como sua morada, o corpo de uma pessoa, domina sua mente, domina sua psique, sua vontade, excluindo com certeza o domínio da sua alma. O domínio da alma pelo diabo só se dá pelo pecado. Portanto, como pode ver, o pecado vai na profundidade. Porque o pecado toma a alma, enquanto que na possessão o diabo somente consegue chegar à psique, à vontade, ao intelecto, mas não pode chegar à alma. Isto é como dizer que o diabo não pode fazer você pecar: pode fazer você cometer ações de pecado, como, por exemplo, blasfemar.

Escolhemos o caso de Santa Gemma Galgani que, por um período de tempo, foi possuída pelo diabo e destruía objetos de veneração e falava palavras obscenas, mas com certeza era o diabo que usava o corpo da santa para poder desprezar Deus, ainda que naquele momento fosse Santa Gemma a fazer aquilo. Nesses casos você não é consciente do que está fazendo. Por essa razão, você não comete pecado algum.

O diabo, portanto, não pode lhe obrigar a cometer o pecado, mas somente a fazer a ação do pecado.

Sempre paira a dúvida: como pode o diabo entrar em uma pessoa? A possessão pode se dar de três modos.

a) Existe o caso da pessoa que livremente, espontaneamente se entrega ao diabo.

Neste caso, alguém abre a porta para o diabo, que às vezes entra. De fato nem sempre o diabo entra quando alguém abre a porta! Quando se trata de seguidores de satanás, neste caso, temos a porta totalmente aberta porque os seguidores adoram o diabo. Exprimem uma espécie de declaração formal: Eu quero me dar por completo ao diabo! E receber dele poder, dinheiro e outras coisas. Todavia, não podemos dizer com toda certeza que todos os seguidores são possuídos pelo diabo.

b) Uma segunda forma de deixar o diabo entrar é quando nós não abrimos portas, mas janelas. Isso acontece quando se brinca com o oculto, com o espiritismo e com os seguidores de satanás. Nestes casos, a pessoa não faz um convite direto ao diabo, mas está no seu campo e por essa razão é muito mais fácil para o diabo achar uma janela aberta e entrar. De fato, em muitas das pessoas possuídas, viu-se claramente que, no passado, brincaram com o oculto.

c) O terceiro modo é bastante interessante: é quando o diabo "entra" pegando a pessoa como refém. Aqui se trata, portanto, da possessão de uma pessoa boa ou mesmo até santa.

Esta afirmação não é aceita pelos protestantes, tanto é verdade que em muitíssimos livros protestantes acha-se escrito que o cristão, pelo fato de ser cristão, não pode ser vítima de uma possessão. No entanto muitas experiências da vida dos santos mostram o contrário.

O perito sobre este tema é René Laurentin (teólogo especialista em Mariologia). Escreveu muito sobre este tema e provavelmente o livro mais clássico (que já mencionei) é *La passion de Madame R.*, em que explica e aprofunda o estudo sobre a mística Marta Robin. Era uma mulher santa, mas possuída pelo diabo, e Laurentin conclui que essa possessão era uma Cruz que o Senhor permitia praticamente para conduzi-la ao cume da mística.

O cume da mística não era viver experiências belíssimas, mas viver o momento do abandono de Jesus na Cruz quando Ele se sente abandonado pelo Pai. Portanto, tudo que era feito fazia que ela não sentisse Deus com ela, não sentindo a sua presença, sentindo-se abandonada. Verdadeiramente é um grande martírio. Laurentin, juntamente com um outro exorcista francês, fez esse estudo chegando à conclusão que ela, como outros santos (temos, por exemplo, São Paulo da Cruz, Santa Gemma Galgani e tantos outros) viveram um período de possessão por parte do diabo e que esta era a sua Cruz para poder ser purificada e pudesse progredir em santidade.

Àqueles que se deixam levar pelo pavor, peço que fiquem tranqüilos, porque normalmente nós não somos assim tão dominados nem assim tão santos para sermos possuídos.

Esses são os três modos de possessão: quando se abre todas as portas para se entregar ao inimigo, ou quando se abre as janelas, pela prática com o oculto, ou quando, sempre com a permissão de Deus, o diabo pega uma pessoa como refém.

Muitos se perguntam como se percebe quando uma pessoa está possuída. Devemos nos mover com muita cautela neste campo porque muitos dos sinais normalmente associados à possessão (gritos, contorções, violências) às vezes são fenômenos que a psiquiatria atribui ao histerismo e a esquizofrenia.

O conhecimento do subconsciente e todos os demais recursos da psiquiatria podem ajudar o exorcista a fazer um diagnóstico. Sinais claros de possessão são, sobretudo, os ataques diretos à fé, à esperança e à caridade. Sobre este ponto muito tempo seria necessário, mas, resumindo, quero dizer que os sinais externos não são suficientes para poder reconhecer uma possessão realmente. Como pode ser diagnosticada?

No Ritual se diz que o exorcista nunca pode ousar iniciar o exorcismo antes de estar certo de ser possessão do diabo; por outro lado, na prática, o exorcista percebe que é uma possessão do diabo durante o rito do exorcismo, e não antes. Quando pratica o exorcismo com oração, ele começa a perceber a natureza das reações que uma pessoa não possuída com certeza não teria. São detalhes, concordo, porque definitivamente essas diretivas indicadas na *Praenotanda* do Ritual não têm caráter da infalibilidade. O que quero dizer é que não é fácil perceber, de um momento para o outro, se trata de uma possessão do diabo ou não.

Existem exorcistas que diagnosticam de imediato tratar-se de uma possessão. Devemos estar atentos! Está subentendido que uma pessoa deve sempre ser ajudada, quer se trate de uma possessão ou de uma opressão, de fenômenos de histeria ou outro sintoma. Mas é necessário um grande discernimento, e também a experiência que é preciosa, para as pessoas que estão neste ministério chegarem a uma conclusão verdadeiramente certa.

2. ORAÇÃO DE EXORCISMO E ORAÇÃO DE LIBERTAÇÃO

Convém uma explanação sobre a diferença entre a oração de exorcismo e a oração de libertação.

A oração de exorcismo é fácil: é a oração litúrgica que achamos no ritual dos exorcismos.

Mas que diferença tem entre um exorcista autorizado e um sacerdote não autorizado? O exorcista autorizado pode usar a oração litúrgica, enquanto o sacerdote não autorizado deve se limitar a fazer orações de libertação. Não existe outra diferença. No final das contas, também o exorcista, que pode usar essa oração litúrgica, pode fazer isso somente na sua diocese! Portanto devemos ser sensíveis a esses fatos, especialmente quem está na Renovação Carismática. Por que digo isto? Porque nós somos os únicos a ter um pouco de sensibilidade com estas coisas. Muitos sacerdotes dizem: "Eu não entendo nada disso" e pronto, ou falam que são somente coisas sem valor. E os pobres fiéis não encontram nenhuma ajuda dos padres, infelizmente!

Em um congresso de exorcistas, padre Gabriele Amorth (exorcista) disse muito claramente que quase todos os exorcistas em todo o mundo pertencem à Renovação Carismática. Por quê? Porque provavelmente somos, nós, as pessoas às quais o Senhor deu este encargo, este ministério para entender que nos encontramos frente a uma luta e que muita gente necessita ser curada e ser liberta das insídias do inimigo. Sustento que cada padre, cada sacerdote da Renovação Carismática Católica, deve ser um pouco, não digo perito, mas pelo menos capaz de lidar com esses casos porque, se nós não tratarmos deles, ninguém o fará. E, por outro lado, não devemos ser nós, os sacerdotes, que, por pequenos distúrbios, vamos enviar o fiel para o exorcista, se tantos casos podem ser resolvidos por nós! Todo sacerdote pode fazê-lo. Qualquer sacerdote pode tratar de casos de malefícios, de encantamento, de opressão.

Todo sacerdote pode fazê-lo! Nem sempre precisa ser um exorcista autorizado. Aos exorcistas clássicos devem ser reservados os casos extremos de possessão que, em todo caso, não acontecem com a maioria dos fiéis que vêm até nós. Estes vêm porque são vítimas de malefícios, de maldições, de encantamentos, de ataque do inimigo e então somos chamados em causa, todos nós que temos o ministério para ajudar essas pessoas por meio da oração de libertação.

As orações de libertação consistem, em definitivo, em orações livres encontradas em livros que não são litúrgicos.

Não orações litúrgicas, mas nas orações em que o sacerdote, por força da sua ordenação sacerdotal, da sua fé, do seu batismo ordena ao inimigo para sair, para deixar a pessoa.

Também os leigos podem fazer orações de libertação. Todavia, um documento de 1989, da Congregação para a Doutrina da Fé assinado pelo Cardeal Ratzinger, hoje Papa Bento XVI, tem limitado, ou melhor, colocado de sobreaviso muitos, inúmeros fiéis leigos que fazem orações de libertação.

O Cardeal Ratzinger disse entre outras coisas que durante essas orações de libertação os leigos não devem endereçar ordens ao diabo, porque pode ser entendido como uma provocação ao diabo, podendo ser, eles mesmos, objeto de ataques da parte dele. Exemplificando, um padre não arrisca muito quando na oração diz: "Eu te ordeno, espírito maligno, em nome de Jesus para deixar esta pessoa". Aqui temos uma ordem direta a um espírito, no nome de Jesus, para deixar uma pessoa. O exorcista o faz com mais segurança, mas pode fazê-lo qualquer sacerdote que esteja um pouco preparado.

Para estarem protegidos, e isto vale sobretudo para os leigos ou para os sacerdotes que não se sentem preparados para enfrentar um ataque direto do diabo, a oração de libertação pode ser dita desta forma: "Senhor Jesus, peço-Te, no Teu nome, expulse este espírito maligno desta pessoa!"

Portanto, em vez de mandar o espírito sair, interpelo a Jesus para que expulse o espírito daquela pessoa. Nesse caso não luto diretamente com o diabo, mas me reporto a Jesus para que seja Ele a enfrentar a luta.

O resultado é o mesmo, porque esta oração não é menos eficaz que a outra, simplesmente é mais cautelosa porque não enfrenta diretamente a luta com o diabo. O diabo pode ser comparado com um cachorro raivoso, que entrou em sua casa e você tenta expulsá-lo de lá. Este não abaixa a cabeça e sai! Ele reage um pouco, não? Assim, o diabo pode atacar em um instante, mediante grandes tentações ou outras formas de distúrbios, a pessoa que tenta expulsá-lo.

Isto é o que a Igreja sugere. A Igreja hoje recomenda que os leigos não mais usem o exorcismo de Leão XIII. De fato, nesta oração se manda diretamente o diabo sair. Portanto, é melhor interpelar Jesus para que expulse o demônio.

É bom conhecer o decreto de Ratzinger de 1989.

3. O ATAQUE À UNIDADE

Um outro ponto a sublinhar, e que é muito importante a meu ver, é o ataque que o diabo faz à unidade. No Evangelho de João (*João* 17), Jesus diz muito claramente que devemos nos amar para que mediante esse amor se possa saber que Ele é o enviado do Pai. Portanto, o reconhecimento da missão de Jesus, o saber que Jesus é o Salvador, está nas nossas mãos. Ele voltou para o Pai e nos confiou esta mensagem para dar ao mundo, a mensagem que Jesus é o Salvador, que Jesus é o Messias. Mas, diz ainda, o meio visível para que o mundo reconheça que Jesus é o Messias, é a unidade. É por esse motivo que o diabo faz de tudo para dividir, porque, uma vez que exista a divisão, não há mais credibilidade em dizermos que Jesus é o Salvador.

Dizemos que o diabo conhece muito bem a *Bíblia*, que conhece também esta realidade e que, portanto, da Unidade dos discípulos depende que Jesus seja reconhecido como o Salvador e, por esta razão, ao longo dos séculos sempre tentou dividir os cristãos. Mostrem-me, se possível, uma outra religião em que existam tantas divisões com na religião cristã. Somente no Quênia, um país da África, existem mais de quinhentas religiões ou seitas cristãs reconhecidas pelo Estado! Outras tantas são aquelas não reconhecidas. Não se contando as seitas, não se contando as divisões na América, para todas Cristo é o protagonista, incluindo a seita de Moon.

Também o Doutor Moon se declara profeta de Cristo, encarregado de preparar o ambiente para que Cristo possa voltar, tendo falhado na primeira vez. Jesus veio, diz o Doutor Moon, para nos dar a Mensagem e nós o colocamos na Cruz; assim, Ele não pôde fazer nada, faliu. Assim, Jesus falou para o Doutor Moon para se apresentar ao mundo e preparar o terreno. Uma vez que o terreno esteja pronto, Jesus voltará para reinar. Mas sempre se fala de Cristo. Em todas as religiões, em tantas religiões e tantas seitas, é Cristo o centro, e como será que Ele se sente, este pobre Jesus, do qual um diz uma coisa e outro diz outra?

É o diabo que nos faz perder a credibilidade por meio das divisões. Devemos ser vigilantes porque mais que discutir sobre as causas das divisões, sobre o que nos divide, é bom que saibamos que é um ataque de satanás. Devemos fazer todo o possível pela união. Digo em todos os sentidos: união nos grupos, união nas paróquias, união na diocese, união em tudo, em tudo, porque o diabo faz de tudo para dividir, visto que a divisão (é uma coisa bíblica que estou falando) nos tira credibilidade e, portanto, nos impede de divulgar que Jesus é o único Salvador.

Capítulo XI

Chamada à Santidade

"Sereis para mim santos, porque eu, o Senhor, sou santo; e vos separei dos outros povos para que sejais meus." (Levítico 20:26)

1. O MANDAMENTO DA SANTIDADE

Chegando ao final deste livro, pensei em dedicar esta última parte à chamada fundamental para nós, cristãos, precisamente a chamada para sermos santos.

Falamos que queremos ser curados, curados fisicamente, psicologicamente, espiritualmente, portanto ser íntegros, completos e esta completude não é fim em si mesma, mas serve para nos conduzir à santidade, para que possamos ser mais livres na caminhada à santidade.

Ser santos não é simplesmente um convite do Senhor, mas é uma ordem, um mandamento. Um mandamento que existia no Antigo Testamento, quando Deus diz:

> *"Sede santos, porque eu, o Senhor, vosso Deus, sou santo."* (*Levítico* 19:2)

E ainda:

> *"Sereis para mim santos, porque eu, o Senhor, sou santo; e vos separei dos outros povos para que sejais meus."* (*Levítico* 20:26)

Este Deus fala ao povo de Israel, Ele que queria fazer deles um povo santo, uma nação santa. Na *Primeira Carta de Pedro*, o apóstolo volta a esse argumento e o administra a nós de uma forma pessoal:

> *"A exemplo da santidade daquele que vos chamou, sede também vós santos em todas as vossas ações, pois está escrito: Sede santos, porque eu sou santo."* (*1 Pedro* 1:15-16)

Portanto, não é um simples convite do Senhor. Conhecemos bem os dez mandamentos do Antigo Testamento, que com certeza continuam sendo uma base, mas temos muitos outros mandamentos no Novo Testamento, Jesus diz de fato:

> *"Portanto, sede perfeitos, assim como vosso Pai celeste é perfeito."* (*Mateus* 5:48)

Isto não é um convite, mas uma ordem. Existem portanto coisas básicas que não podemos ignorar e dizer: "Está bem, este mandamento aqui está destinado aos santos ou a alguma pessoa escolhida". Não! Está bem escrito:

> *"Sede, pois, imitadores de Deus."* (*Efésios* 5:1)

e ainda:

> *"...deixai-vos conduzir pelo Espírito."* (*Gálatas* 5:16)

Portanto, ser santos não é uma coisa que é para poucos, mas deve ser para cada um que compõe o povo de Jesus. Tanto mais deve ser para nós, sacerdotes, que temos que conduzir os outros para a santidade.

É notável esta atitude do Senhor, o qual entende que o santo é o cristão normal. Assim nós, na normalidade, somos santos; entramos na anormalidade quando não o somos. É como, um empregado em um escritório: seu dever é trabalhar; trabalhar é normal; é óbvio que eu entre no escritório para trabalhar; sou chamado para isso. É normal, portanto, que, sendo chamado a ser discípulo de Jesus, eu faça uma caminhada no sentido da santidade.

2. SANTIDADE COMO CAMINHADA

É muito importante lembrar que quando nós falamos sobre santidade falamos de caminhada. Também para São Paulo, o santo não é quem já chegou. De fato, ele chama os cristãos em caminho. Achamos, por exemplo, diversas vezes, na *Carta aos Romanos,* capítulo 8: o Espírito que reza para os seus santos, o Pai que escuta os seus santos. Portanto, o santo não é quem já é declarado santo, mas quem está numa caminhada.

Devo agradecer o Senhor por estar na Renovação Carismática porque aí entendi que tenho que caminhar. Infelizmente, podemos dizer, existem muitos sacerdotes que não estão na caminhada; eles trabalham para Deus, sim, mas não estão na caminhada na direção de Deus. Aí está o porquê, certas vezes, não entenderem o que sejam esses movimentos de espiritualidade, porque não estão na caminhada.

A nós, sacerdotes, várias vezes ocorre que, ao término do curso de Teologia, recebemos a ordenação e dizemos: Já estou formado, já sou um sacerdote; agora me entrego ao apostolado, entrego-me à atividade, entrego-me a fazer muitas coisas para Deus..., mas esquecemos que nós fazemos parte de um povo que está na caminhada.

Esta é a cura maior: entender que temos de ir sempre em frente; levando isso em conta, todas as outras coisas são verdadeiramente coisas pequenas.

É interessante quando o evangelista Lucas fala de Jesus adolescente: após tê-lo apresentado no templo recordemos que volta para casa da mãe e do pai.

Diz o evangelista que Jesus continuava a crescer, a crescer em idade, a crescer em sabedoria, a crescer na graça (*Lucas* 2:52) Muitas vezes nós dizemos, também sob o aspecto teológico: Mas em que sentido Jesus cresce na graça? Entendendo que Jesus cresce em idade, e que, como homem, Jesus cresce em ciência, tivesse novas experiências na vida humana (pequeno brincava com os meninos, adolescente tinha os problemas do adolescente etc.).

Mas em que sentido crescia na graça? Ele cresce em novas experiências do Pai, porque quem ama experimenta sempre mais. O amor não é uma coisa estática: o amor é uma coisa dinâmica.

Portanto, quem verdadeiramente ama não pode ficar onde está, mas segue em frente. Muitas vezes nos unimos ao Cristo sofrido, nem sempre com o Cristo no Tabor.

Quando falo de experiências de Deus, nem sempre falo as experiências do Cristo no Tabor. Às vezes são as experiências do Cristo que dorme enquanto nós lutamos com o mar; e Ele dorme, e temos que ir chamá-lo. (*Mateus* 8:24-25) Às vezes vivemos a experiência da solidão; outras vezes, a experiência do Cristo que "exulta no Espírito", exclamando:

> *"Pai, Senhor do céu e da terra, eu te dou graças porque escondeste estas coisas aos sábios e inteligentes e as revelaste aos pequeninos."* (*Lucas* 10:21)

Exultar no Espírito é como dançar na frente do Pai expressando toda a nossa felicidade! São essas as diversas experiências que vivemos na nossa caminhada.

Devemos ser vigilantes, porque esta é uma grande tentação para todos nós que, vendo tantas necessidades, esquecemos que, antes de ser apóstolos, somos discípulos; antes de trabalhar para Deus, temos que seguir Deus.

3. A LÂMPADA DAS DEZ VIRGENS

É muito forte para mim a parábola das dez virgens, aquelas garotas que vão ao encontro do esposo.

Essas dez garotas amavam o esposo. Tanto é verdade que todas saíram para encontrá-lo. Todas O amavam, mas em certo ponto cinco ficaram com a lâmpada sem óleo, e cinco tinham a lâmpada com óleo. Ter óleo sem a lâmpada para que serve? Da mesma forma ter a lâmpada sem o óleo a que serve?

Vejo, nesta parábola, a lâmpada como se fosse a nossa atividade: uma lâmpada bonita, trabalhada, uma lâmpada esculpida, isto, uma lâmpada bonita! Assim nós vamos para frente do esposo dizendo: "Aqui está, Senhor, quantas coisas eu fiz para você. Aqui está a minha lâmpada!" Mas é uma lâmpada que não dá luz, porque não tem o óleo. E o óleo é a minha santidade, a minha intimidade com o Senhor, o meu viver o Cristo! Esta é a lâmpada com o óleo. Uma lâmpada sem óleo é para ficar em um museu, para preservar, mas não é útil para produzir luz, não tem serventia. Devemos estar muito atentos ao meditar durante a nossa vida. Por isso, é útil participar de vez em quando de um retiro! Faço um retiro para poder entrar um pouco na realidade da minha vida, parando esta corrida e ver se de verdade a minha vida está empenhada na intimidade com o Senhor ou é somente trabalho.

Voltando à *Primeira Carta de Pedro*, encontramos que o apóstolo reapresenta o texto do Levítico e diz:

> *"Como filhos obedientes, não modelar a vossa vida de acordo com as paixões de outrora, do tempo de vossa ignorância. Mas a exemplo de Santo."*

"A exemplo de Santo daquele que vos chamou, sede também vós santos em todas as vossas ações, pois está escrito: Sede santos, porque eu sou santo." (*1Pedro* 1:15)

Portanto, nós trabalhamos no palácio do Rei. Quem trabalha no palácio do Rei não pode se vestir de qualquer jeito, mas tem que se vestir adequadamente ao local; deve se adaptar ao tipo de trabalho que executa. Nós trabalhamos com Deus santo; nós estamos diante do Deus santo, diz a *Carta de Pedro*; portanto, também temos que ser santos. Mas o que significa ser santos?

São Paulo lembra-nos isto na *Carta aos Romanos* (*Romanos* 6:5-8), quando diz que "devemos destruir o homem velho em nós para fazer surgir o homem novo".

Quem é este homem velho em mim? É o homem apavorado, é o homem doente, é o homem cheio de ciúme e de inveja, é o homem apegado ao dinheiro e ao poder, é o homem carnal e sensual, é o homem com todas as feridas do passado e do presente, é o homem que tem como centro ele mesmo e não o Cristo. Em resumo: é o homem doente.

Este homem doente está em todos. Não é qualquer um que pode falar: Eu já cheguei a matar completamente este homem velho em mim. Somente a morte mata completamente o homem velho e assim ressurge o homem novo. Portanto, em nós existe uma luta e este é o caminho, uma luta contra o homem velho para fazer viver o homem novo.

A nossa caminhada não deve ser um caminho que tem como base a luta para permanecer lutando. A nossa caminhada deve ser composta por experiências novas em Cristo. Sim, devemos também lutar com o homem velho, mas em seguida temos que nos "revestir de Cristo", como diz São Paulo.

Devemos ter, devemos vestir, como escreve na carta aos Filipenses, a mente de Cristo, o coração de Cristo, portanto, viver como Ele, amando com Ele.

4. UMA SUGESTÃO DOS PADRES DO DESERTO

Os padres do deserto nos sugerem uma técnica, podemos chamá-la assim, para podermos ver constantemente se o nosso caminho é verdadeiramente um caminho em Cristo. Dizem: "Olhe um pouco nos olhos de Cristo, e continuando a olhar para Ele, nos seus olhos, faça-Lhe uma simples pergunta: 'Senhor Jesus, assim está certo?' E muitas vezes receberemos uma resposta muito íntima". Sim, porque também quando nos confrontamos com o nosso diretor espiritual, defendemos coisas que não são as melhores coisas da nossa vida. Mas olhando para Ele não podemos nos esconder; olhando para Ele, dizem ainda os padres do deserto, e fazendo a pergunta: "Senhor Jesus, assim está certo?" receberemos de dEle uma quantidade de respostas íntimas que nos ajudam a andar no caminho certo para podermos continuar a caminhada até Ele.

Um texto que nos dá Paulo, que pode também sintetizar, por assim dizer, toda a nossa vida espiritual, um texto muito importante, muito bonito, fundamental para a nossa caminhada, está incluído nos primeiros dois versículos da *Carta aos Romanos*, capítulo 12. São dois versículos sobre os quais poderiam ser vividos alguns retiros, retiros verdadeiramente completos.

Diz assim:

"Eu vos exorto, pois, irmãos, pelas misericórdias de Deus."

(portanto aqui Paulo está mesmo insistindo)

"a oferecerdes vossos corpos em sacrifício vivo, santo, agradável a Deus: é este o vosso culto espiritual. Não vos conformeis com este mundo, mas transformai-vos pela renovação do vosso espírito, para que possais discernir qual é a vontade de Deus, o que é bom, o que lhe agrada e o que é perfeito." (*Romanos* 12:1-2)

Neste texto temos verdadeiramente uma síntese perfeita da nossa vida espiritual. Antes de tudo nos diz para oferecer o nosso corpo a Deus como um "sacrifício vivo".

É fácil pegar um monte de coisas e oferecê-las ao Senhor: sei que é pouco. Mas é diferente oferecer o meu corpo como um sacrifício vivo. Na prática quando falamos, "oferecer o meu corpo", queremos dizer oferecer todo o meu corpo, oferecendo meus olhos, minhas orelhas, minha língua, minha mente, meu coração, meus pés, minhas mãos: "Tudo isto que o Senhor me deu como está sendo usado e para quem eu estou usando tudo isso? E ainda: A minha inteligência, a minha imaginação, a minha memória, a minha vontade, todo este patrimônio que tenho, assim como os meus carismas, os meus talentos naturais, tudo o que eu tenho, para quem eu os estou usando? E se os estou usando para Ele, estou continuamente pedindo a Deus: Senhor, como queres que eu use a minha inteligência? Como a estou usando?" Portanto, existe toda uma meditação a ser feita. Oferecer a mim mesmo como "um sacrifício vivo".

Normalmente o sacrifício, seja este um monte, ou uma cesta de frutas, uma vez oferecido é oferecido e pronto. O sacrifício vivo, ao invés, fica na fogueira a queimar, não se consome. Assim eu fico sempre exposto. Não é uma oferta feita uma vez somente, por exemplo, como foi para o celibato dos sacerdotes, pela promessa de fidelidade conjugal dos esposos; o nosso é um sacrifício vivo.

Neste ponto podemos examinar melhor aquilo que estamos vivendo, para quem estamos vivendo, para quem estamos usando e como estamos usando nossas forças e faculdades, sacrificando tudo que nós somos.

Continua São Paulo: "Vossos corpos em sacrifício vivo, santo, agradável a Deus: é este o vosso culto espiritual".

A Liturgia é um símbolo, mas a verdadeira Liturgia sou eu, eu me transformo no culto espiritual. Todos os sinais que fazemos na Liturgia são maravilhosos também porque esses sinais nos levam à realidade de perdão, à Eucaristia etc... Mas o culto espiritual vivo sou eu! Não mais um sinal.

Quando se queimavam os animais, como era feito no Antigo Testamento, queria-se testemunhar que consideramos Deus o dono de tudo: Ele o é. É o dono de todas as coisas que eu possuo: aquilo que tenho eu o recebi dEle. Mas aqui, no Novo Testamento, sou eu que me transformo no culto espiritual, como o Cristo que se transforma no culto espiritual na cruz, a Liturgia viva do Pai.

São Paulo prossegue: "Não vos conformeis com este mundo".

Sabemos que Paulo na *Carta aos Gálatas* no capítulo 5 (*Gálatas* 5:19-22) faz o confronto entre as obras da carne e o fruto do Espírito. E diz que a carne e o Espírito não podem darse bem. É como dizer: não devemos nos comportar de maneira meramente humana.

Lembremos também de Paulo quando fala aos Coríntios, na *Primeira Carta*: "Vós tendes belos carismas, mas, infelizmente, não posso falar-vos como homens espirituais, mas tenho que falar-vos como homens carnais que vocês são" (*1 Coríntios* 3:1-5). De fato usavam os carismas com a mentalidade do mundo. Usavam os carismas para ser os primeiros a mostrar terem mais poder. Atentem! Vivendo um apego humano aos próprios carismas espirituais usavam-nos com a mentalidade do mundo.

"Portanto, eis o que digo e conjuro no Senhor: não persistais em viver como os pagãos, que andam à mercê de suas idéias frívolas." (*Efésios* 4:17)

E ainda:

"Renovai sem cessar o sentimento da vossa alma, e revesti-vos do homem novo, criado à imagem de Deus, em verdadeira justiça e santidade." (*Efésios* 4:23-24)

Ter a *mens Cristi*. Ter a mente de Cristo.

Certa vez uma mãe veio até mim e me disse: "Quando o meu menino faz alguma coisa ruim eu bato nele, mas meu marido não quer. O que acha?" Eu lhe disse: "Bata nele, mas como se fosse o Cristo que está batendo! Assim eu tenho que mudar tudo...", ela exclamou.

Muitas vezes é suficiente manter isto na memória: "Transformai-vos, renovando a vossa mente". Perguntemo-nos: "Como Jesus teria feito esta coisa?" e veremos que acontecerá uma mudança, uma transformação para poder discernir (aí está o discernimento) a vontade de Deus: aquilo que é bom a Ele é agradável e perfeito.

Uma outra e belíssima meditação sobre este texto pode ser feita.

Bem, nós somos sempre tentados a ser pessoas que "subiram" na vida, e alcançaram o sucesso. Dizemos francamente que existe esta tentação em nós, uma tentação, mas contra a qual eu quero lutar.

A Escritura nos vem ao encontro quando lemos a *Segunda Carta de São Paulo a Timóteo* (*2 Timóteo* 2:21), em que Paulo dá a Timóteo alguns conselhos. Primeiramente fala de muitas coisas que devem ser evitadas, e de outras que devem ser feitas e em seguida diz: "Quem, portanto, se conservar puro..." Quando Paulo diz puro não entenda somente a pureza como virtude da castidade, está querendo dizer puros de mente, puros de intenções, puros de coração. Diz:

"Será um vaso nobre, santificado, útil ao Senhor e apropriado para toda boa obra."

Como é bonito poder falar que o Senhor me escolheu! Mas não me escolheu somente porque confia em mim, visto que me escolhe também quando não sou puro; escolhe-me porque tem muita confiança em mim.

Regularmente, uma freira vem me visitar. Tem muitos anos de direção espiritual. É costume dela me dizer: "Tem uma coisa que não entendo e que ninguém consegue me fazer entender: como é possível que Deus tenha confiança em mim?" Bem, como é possível! "É contrário a qualquer lógica", me diz! É verdade, mas seria bonito que o Senhor nos escolhesse não somente pela confiança cega que ele tem por nós, mas também porque nós nos tornamos "um vaso nobre, útil ao Senhor. Nobre, santificado, útil ao seu possuidor".

Quantas coisas o Senhor poderia fazer conosco e por nosso intermédio se nos transformássemos nesse "vaso nobre" nas Suas mãos! Um vaso nobre, santificado. Aí está o sucesso! Nisto consiste o sucesso que Paulo sugere a Timóteo. Na sua carta, São Paulo escrevia a Timóteo como novo Bispo e assim poderia tratar de tantas coisas pastorais, de tantas coisas bonitas, que com certeza eram necessárias. Mas o apóstolo insiste na santidade, porque quando somos santos o Senhor pode nos usar e nos transformar verdadeiramente em vasos nobres, úteis ao Senhor.

5. O MEDO DO MUNDO

O príncipe deste mundo de hoje não tem mais medo de nós, cristãos. Por exemplo, antigamente o pároco era tudo na sua cidade ou na sua cidadezinha; era tudo. Tudo girava a seu redor e em cada coisa ele deixava uma marca. Quando dizia alguma coisa do púlpito, eventualmente também contra a autoridade civil, a sua voz tinha valor! Hoje não. Hoje o mundo não tem mais medo de nós. Antes quase todos os comunicados eram passados por meio do pároco. Hoje não!

Hoje os modelos culturais, que por meio dos meios de comunicação de massa chegam nas casas, nas famílias, na sociedade, tendem a exaltar as coisas do mundo.

Portanto, o que podemos fazer para gerar medo, hoje?, para gerar medo no mundo? Ser Santos! Somente a santidade dá medo no mundo!

Achamos também este tema em um belíssimo texto das Escrituras que eu considero muito significativo, precisamente em Marcos. (*Marcos* 6:20)

Estão lembrando de quando João Batista estava na frente de Herodes? Herodes era um ímpio: não tinha muitos escrúpulos, nem para matar, nem para jogar pessoas na cadeia; ele matava também os seus parentes mais próximos por medo de perder o trono, portanto não tinha nada que lhe desse medo.

João Batista? Homem simples, um pouco agressivo, sim, mas nada além disso. Já acorrentado, não podia fazer mais nada. Era o homem que gritava, nada mais: acorrentado! Mas Herodes tinha medo de João Batista. Olhem o que diz *Marcos* 6:20:

> *"Pois Herodes tinha medo de João, sabendo que era um homem justo e santo; protegia-o e, quando o ouvia, sentia-se embaraçado. Mas, mesmo assim, de boa mente o ouvia".*

Interessante: "tinha medo de João, sabendo que era um homem justo e santo". Herodes, cheio de tanta autoridade; João acorrentado inofensivo, mas João metia medo em Herodes.

É a única coisa; é a única coisa!

Atentem para o que pode fazer e ainda faz padre Pio, o que fez e ainda faz uma madre Teresa, pessoas simples que não possuem exércitos. Mas o mundo, na frente do santo, fica atônito. É a única coisa! Não são as nossas prédicas, não são as nossas lições teológicas que convencem o mundo. É somente a santidade que convence o mundo porque o mundo permanece sempre com a sua mentalidade, que é diferente da mentalidade de Cristo. O mundo permanece sempre com valores diferentes daqueles de Cristo. Mas este mundo tem medo dos santos. Se quisermos influenciar o mundo, não resta nada mais que apontar para santidade.

Aí está o porquê de quando falamos da nossa cura, da nossa libertação falamos de um aparato preparatório! Não é fim em si mesmo! Eu lavo um terno para vesti-lo, não para simplesmente vê-lo limpo e dizer: "Que lindo este terno!" Sim, mas não é um terno para um museu! É um terno para ser usado!

Sobre isto nós, que temos começado uma caminhada na Renovação Carismática Católica, devemos insistir sobre aqueles que pedem curas, libertações: Por que você o pede? Saiba que a cura, o ser completos, íntegros é sermos livres, mais livres, menos bloqueados, menos acorrentados, e por isso poder fazer um caminho na direção do Senhor. Esse caminho devemos endereçá-lo para nós! Nós, que somos já convencidos dessa necessidade, agradecemos o Senhor porque podemos achar uma ajuda para isso no interior da Renovação Carismática.

Reconheço, sinceramente, que por muitos anos no meu sacerdócio nem pensava em dever fazer uma caminhada, porque pensava ter enfim chegado: era teólogo, já tinha feito tudo, o percurso estava completado, portanto agora somente tinha que trabalhar. Foi a Renovação Carismática que me sacudiu dizendo: Olhe, você deve fazer uma caminhada! Se você não caminha, como pode fazer os outros caminharem? Muitos meus irmãos ainda não entenderam. Todavia devemos prestar muita atenção também em nós, que fizemos esta descoberta, porque, a despeito da sua beleza, a Renovação Carismática Católica, no interior da qual existem muitas maravilhosas diversidades, pode se transformar em uma "estrutura". Uma outra estrutura, porque se começa a cantar em línguas, a rezar em línguas e tudo isso torna-se somente uma outra forma de orar! Mas, pouco a pouco, não diz mais nada para mim! É somente um outro estilo!

Não é de um estilo novo que temos necessidade, mas de um empurrão para a caminhada. Se também tudo isso não nos faz caminhar, assim terá passado o tempo da Renovação Carismática e esta não deixará os frutos desejados, os frutos que são aqueles descritos por Paulo, o fruto que será o Espírito Santo em nós, que nos transformará em vasos úteis, vasos perfeitos, santificados, limpos, que o Senhor poderá usar para o bem dos outros. *Amém.*

Impressão e Acabamento

Prol
EDITORA GRÁFICA